美容大王

大S
徐熙媛
——著

【开场白】

十七岁开始的
"美容大王"之路！

　　我十四岁就和唱片公司签约，在高中时正式踏入了演艺圈，从此也就和"美容大王"这称号结下不解之缘啰！任何能让我变美、变瘦、变白、变得更迷人的各种美容圣方和偏方，没有一样可以逃过我的法眼，所有第一手的讯息、最有效的新产品，我都一定要想尽办法学会或得到手！

　　没办法，我就是这样爱美，就算别人说我病态也无所谓，因为我是名副其实的"美容大王"！

　　记得刚准备入行时，我还没那样爱美，我和小S都是那种皮肤天生吹弹可破的天之骄女，上不上妆都差不了多少。那时曾经有位化妆师对我耳提面命，说什么女生一定要保养，而且是越早越好，否则一过了二十五岁，肌肤就会像凋谢的花一样，老得很快。

　　我和小S都觉得那位化妆师会不会想太多呀，当时我最多也不过是偶尔长出几颗痘子，从来没被什么痘痘脸或是粉刺问题困扰过，所以完全没把那位化妆师的话放在心上。说实在的，在入行前我对于美容真的是一点概念也没有！

不过在正式签约后，需要拍摄一些宣传照，而拍完照回家当然要卸妆，我这才发现自己根本没有卸妆油，需要买瓶卸妆油来用用，但买了卸妆油，还得要买洗面奶才行，买了洗面奶，化妆师又提醒我洗完脸之后一定要擦化妆水、乳液……那时我才对这些瓶瓶罐罐有了初步的了解，也才终于恍然大悟原来保养有这么多程序呀！

　　还好，有化妆师和造型师可以当我的免费咨询顾问。这些大姐姐（有些是男姐姐）都很耐心地教我，还告诉我什么牌子很好用，可以用哪些比较年轻的品牌等等。但是对当时还没收入的我来说，他们推荐的牌子真的是很贵，甚至买回去之后，我连化妆水、乳液到底哪一瓶要先用都搞不太清楚，觉得实在超麻烦，所以，最后还是只做了卸妆和洗脸两个保养步骤。

　　仗着天生丽质不保养，惨案很快发生了。常化妆又不保养，妆也马马虎虎卸一卸，久而久之，我发现我的皮肤出现了明显的暗沉现象，那时我看着镜子里的自己，额头冒出了大颗大颗的冷汗……我开始寻找原因，想知道为什么自己的皮肤会暗沉。这才发现，可能是之前卸妆不彻底的关系。卸妆一定要卸得很干净，洗脸也不能马虎，一定要用某些品牌的洗面霜才适合。接下来我又发现脸部皮肤的角质层好厚，摸起来粗粗的，原来是需要去角质了。

　　于是我一步一步地朝保养美容这方面探索，开始懂得要

去买适合自己皮肤的粉底、卸妆油，开始会去角质、敷脸。遇上了皮肤问题也会到处去打听、找好的皮肤科医生检查，当然，对那一拖拉库的保养品牌研究，我也越来越显现出浓厚的兴趣，这些在爱美方面的探索也成了我和许多姐妹茶余饭后一定要谈论的话题了！

　　就这样，我在十七岁时，正式朝美容大王之路迈进啰！

CONTENTS

PART **4** **FOUR** **就是要白得彻底！**

PART **5** **FIVE** **身上任何小地方全都不放过！**

【结语】

PART **1** ONE

"瘦"又有型，
才是王道！

誓当竹竿美人，
让我尝尽苦头

十七岁之前的我，不了解也不注重化妆保养，但对于减肥这档事，我可是在意得很。国中时我为了减肥吃足了苦头，饱尝各种减肥的辛酸泪！

其实，大王我国中时还满胖的，那时最胖曾重达五十二公斤！当时我超迷日本女偶像，像是少女团体CoCo，以及宫泽理惠、观月亚里沙和牧濑里穗这三个超红的"三M美少女"。在各报章杂志的明星资料上，这些日本女生的体重都只有四十三到四十六公斤而已。我既羡慕又妒嫉，不断在心中嘀咕着："自己怎么这么肥！"为什么她们都可以那么瘦？！

只是个国中生的我，当然是没

钱买什么美容霜或减肥药之类的产品，所以只好看着报导里这些女偶像的减肥方式，然后依样画葫芦。

那时候最流行的减肥法是每天只吃苹果加优格，记得不知道是哪个日本女艺人说她吃了十天就瘦了十公斤。所以我不疑有他也照着做，结果只吃了三天就发生了胃绞痛而紧急送医，医生诊断出是胃发炎，把家人吓得半死！

还有一个很恐怖的经验是——吃泻药减肥！吃了之后，麻烦简直层出不穷。那时上课上到一半闹肚子痛必须跑厕所，举手一两次说要上厕所，一开始老师还会相信你是真的肚子痛，可是我举手的次数实在是太频繁了，老师就起疑不满，怀疑我是在捣蛋（但我吃了泻药当然不能跟老师说实话）……最后，老师终于不准我去厕所了，我只好坐在教室里忍得冷汗直冒，等下课钟声一响起，就头也不回往厕所冲！

我发现学生根本不适合吃泻药（除非你便秘），更重要的是，吃泻药根本不会瘦！

美 · 容 · 大 · 王
经验谈

国中时为了减肥，我的身体搞得非常差，尤其是肠胃。长大之后我才发现国中生减肥，真的很伤身体又不值得，因为国中还在发育，如果这个阶段用错误的方法减肥，譬如吃泻药、或是让自己营养不均衡的断食减肥法，都会使胸部无法发育、皮肤没有弹性、没有水分，重点是还可能会长不太高，骨头也会出问题。像这些问题都是在我长大后才慢慢地发现，原来自己国中时候为了爱美，伤了自己宝贵的身体。

神呀，把我的腿变细吧

　　在那段不顾一切盲目减肥的过程里，我对于自己的大腿尤其有着顽强的执着！

　　我国中时最不满意自己的大腿。老实说，体育课穿短裤的时候，我跟同学比起来大腿算是满细的，但是我受日本女偶像的影响实在太深了，一直觉得就是要两腿合不拢才算标准。那些日本女偶像——我观察后发现，她们的大腿并拢之后，两腿中间都有一些空隙，但是我的大腿并拢之后却没有腿缝，所以观察结论是——我的大腿太粗了（现在想起来还真的很好笑）！

　　刚好那时候第四台电视购物相当风靡减肥产品，我没事盯着看，就想买来实验一下。我还记得当时经由电视购物买了一种叫做"脂立消"的产品，号称"想瘦哪，就搽哪"，不管涂在身体的哪个部位，那里的脂肪就会被快快吃掉。我搽上去这东西后感到效果真是非常的强烈，搽过的地方立刻红、肿、痒，实在是太难受了。想要用清水冲掉，却怎么也洗不掉啊！

　　就这样痒了差不多半天到一天的时间，才慢慢没那么痒，但是腿还是会一直发红，到最后腿上的肉甚至呈现出血花状态，好久好久以后才慢慢消失……结果呢？你认为我瘦了吗？没有，完全没有，皮肤还过敏了好几天，这就叫做花冤枉钱还要找罪受！

　　经过多次的失败尝试后，现在的我终于找出真正能让腿部曲线变瘦变美的方法，还体会出臀部线条如果够美，腿也会看起来更修长哩！

美容大王教战守则
——俏臀与紧实大腿线条秘诀

　　很多西方人看一个女生漂不漂亮、正不正，都会先看她们的臀部，觉得如果一个女生臀部很正很翘，才有资格被称为美女。我也是从小就认为女生一定要有完美紧翘的臀部才算美。

●想当个人见人爱的姿势美人，
　走路时随时抬头挺胸缩小腹吧！

东方女生骨盆比较大，加上常坐着的关系，屁股比较扁平。不管女生胖或瘦，胸部大或不大，只要她有一个很翘很好看的臀部，就会加分不少。

◎ 俏臀秘诀 1：做运动

臀部要练翘，运动最有效。其实只要做一个运动就可以轻松拥有迷人翘臀了：站着的时候，腿打开与肩同宽，脚尖朝外开呈外八字，膝盖一定要打直，然后用力往里夹你的屁股。这样子夹，次数能超过二十下是最好。正在看电视或没事的时候可以常常夹，这会让你的臀部逐渐出现微笑的曲线喔！

◎ 俏臀秘诀 2：搽翘臀霜

搽克兰诗（CLARINS，娇韵诗）的翘臀霜也满有效的。但是你若只是轻轻地像搽脸一样地抹在臀部上，效果不是很好，一定要配合手的按摩。手的按摩必须用力地抓和捏，但是不要用力到让自己瘀青，也不要把自己肉抓到破皮。

正确的力道有点像在揉面团，用手掌部位去压和推多余的脂肪。这种按摩方式针对大腿和手臂水肿的地方非常有效。

◎ 紧实大腿秘诀 1：揉捏按摩

　　大腿和臀部的交接处常会出现橘皮组织，我推荐大家用碧儿泉（BIOTHERM，碧欧泉）的产品，同样用抓和捏的方式让它吸收，也可以达到促进血液循环加强新陈代谢的效果。或者是用克兰诗出的按摩板，它一面能帮你搽乳液，另一面能帮助你按摩。先将乳液均匀涂上皮肤，再用按摩板这一面由下往上推，从大腿根部往臀部方向推刷，每个地方至少要刷上二三十下，你会感到很热又很痛，但这对于消除橘皮组织、消水肿都还满有用的咯！

●图片提供：碧儿泉 BIOTHERM

◎ 紧实大腿秘诀 2：穿调整型塑身裤

　　除了抓捏法，另一种物理性塑身法，就是穿调整型的裤子。穿着调整型裤子可以改善你的线条，让大腿线条变得好看，长期穿的话，肉也会集中在应该集中的地方，屁股也会变得比较翘。但是，能不能穿得住就要看你的耐力了，因为夏天穿着它会很难过，冬天穿着它又常让人觉得刺刺痒痒不舒服！

美容大王教战守则
——紧实小腿秘诀

美女当然不能有小象腿或萝卜腿，迷人曲线的小腿，是一定要追求的。不过，长期站立或是常穿高跟鞋的女生，小腿特别容易肿，或者产生静脉曲张，影响了腿部的美观，实在很可惜耶。

◎紧实小腿秘诀 1：穿防静脉曲张裤袜

如果你的职业是售货员、老师或是从事常需要站立的工作，一定要穿防止静脉曲张的裤袜，在康是美就买得到。这种裤袜非常合身，一定要买对自己的尺寸，按身高来买，要不然效果也不见得会好。

◎紧实小腿秘诀 2：用纤腿凝胶

如果你常常站了一整天小腿又肿又胀，在康是美可以买到一种纤腿凝胶，品牌是PROMOTION，因为它含有清爽的薄荷成分，用这种凝胶来按摩腿部，小腿会比较松弛，比较舒服。

◎ 紧实小腿秘诀 3：按摩＆抬腿

抬腿也是消除腿部水肿的好方法！按摩完腿部后，把腿伸直靠在墙上，与身体成九十度，最少要抬腿十五分钟才会有效果。但千万不要举得太久，像是久到一个小时这种程度，你的腿会麻掉甚至还会抽筋哩！

◎ 紧实小腿秘诀 4：喝薏仁水消肿

通常熬夜或是前一天喝酒，第二天很容易水肿，这时候可以喝薏仁水。薏仁水不是喝了马上就有效。通常早上喝薏仁水，下午便会觉得尿多，或是你今天喝了很多薏仁水，隔天就会大量排尿。薏仁水会帮助你排出身体多余的水分，现在很多早餐店有卖薏仁浆。

美·容·大·王
经验谈

如果想知道你是不是水肿体质，就在身体上比较肿的地方，用大拇指压下去，如果压完后有白白的一块印子，很久才散掉，这代表你身体有多余的水分。若水肿情况长期都不改善，甚至愈来愈严重，这代表你肾脏有问题，该去看医生啰！

束腹马甲全都上，非瘦不可

我这美容大王觉得瘦还不够，我想要的是，非常强烈、非常强烈的，瘦！

于是我开始穿调整型的全套内衣，包括束腹、马甲、下半身束裤、全套的紧绷的调整型内衣。我上学穿，工作也穿，睡觉也穿着睡，全副武装，要让瘦的使命必达！

调整型内衣的上衣、束裤、束腹这三项东西，真是挺好用的。如果你有耐力去持续穿的话，身材一定可以保持得很好，调整体型效果一级棒！

美容大王教战守则
——平坦小腹秘诀

一讲到小腹，很多女人就会皱起眉头，因为小腹上的赘肉往往是顽强减不掉的，可是它又是让身材变型的第一号凶手。想要成为美女中的美女，小腹就自然要一丁点的赘肉都没有才可以的！

小腹的问题源自每个女生的体态，如果你总是驼背，肉非常容易集中在小腹，穿着束腹能减少这类惨案的发生。另外抬头挺胸也是非常好的减肥方法哟，如果你平常不运动，抬头挺胸本身就能帮助你消耗热量，尤其是在你平常走路的时候！

◎ 美腹秘诀 1： 随时随地都抬头挺胸

抬头挺胸的方法就是屁股往内夹紧，腰部两侧也会用力，肩胛骨的部位夹紧，肩膀完全打开，脖子和肩膀交接处往下垂放松不能耸肩，下巴微微提起。如果你长期坐或站都维持抬头挺胸、肚子用力，小腹会缩小非常多，还会长出腹肌来，肉也不容易一直囤积在腹部。

◎ 美腹秘诀 2： 用纤体霜

用纤体霜当然也会有轻微的效果，可是真正的重点还是在体态。如果平时没有挺腰，一定会长出小腹！

另外脊椎问题也会影响体态，东方女生很多都有脊椎侧弯或是椎间盘突出的问题。如果你的脊椎侧弯、椎间盘突出、驼背，长期下来会腰酸背痛。这些毛病也可能导致造血功能不良，使你头昏，让你的皮肤不好。所以你若是脊椎有问题，要赶紧去看医生，做适当的复健对你会有帮助的！

PART 2 TWO
百分百美发
女战神！

就是要让头发健康水亮

　　我这美容大王真是用很变态的严苛手段来保养我的一头秀发，不过那全是一些琐碎但却简单到不行的方法。

　　很多人问大王我去哪里护发、用什么东西护发？答案是，我的头发我喜欢自己保养，因为我不喜欢别人有任何借口去碰触到它。我认为头发之所以会漂亮，护发并不是最重要的一件事，以我的观点，头皮健康才是最最重要的哟！如果你的头皮健康，其实根本不太需要去护发，只要你不去任意糟蹋它，它就不会变坏。头皮要维持健康，如何洗头很重要，尤其是对使用的洗发精品牌一定要非常谨慎！

　　我的头皮一直都非常健康，只有在心情不好或是压力非常大的时候，头发才会变细，然后开始掉头发。情绪很容易影响到我的头皮状况，不过只要出现这种情况时，我就会换别种品牌洗发精来调整一下。

　　我要再次提醒大家（别嫌我唠叨啦，一定要仔细看），如果你希望把头发留得又长又健康的话，正确洗头真的真的是很重要！除非，你的头发是非常油、非常油的极油性，你不每天洗它，它就会变成一撮一撮黏黏的，除了这种状况外，一般人大概只需要两天洗一次头就足够了。当然如果你当天留了很多汗，一定是要洗头。如果你的头发偏干性，不容易脏或臭，其实三天洗一次也可以，不会有什么伤害的啦！

美容大王教战守则——
洗头发的正确步骤

◎ 步骤 1 ：用指腹按摩头皮

洗头发的时候一定要用指腹搓你的头皮，每一寸头皮都要被洗发精的泡沫覆盖，并且用指腹搓过每一寸头皮，这样头皮才会洗得干净。

◎ 步骤 2 ：彻底洗两次

千万注意洗头之前一定要把头发梳开，不能在打结状况下洗。譬如说你今天绑了一整天头发，你不能松开头发后就直接洗，一定要先把头发梳开再洗。

头发要分两次洗，先洗头皮，接着再洗发丝。如果你是油性发质的话，就要分两种不同的洗发精洗，先用专门洗头皮的产品轻轻地洗，再用一些含牛奶成分、胺基酸成分的产品，正常地洗一次发丝。洗发丝时可以将头发撩到一边，轻轻地揉它，并且用手指抓顺抓开。

　　本大王提醒大家不要弯着腰洗头或倒着洗头，因为倒着洗头必须抬头看，很容易长出抬头纹，这是我目前试过最容易产生抬头纹的动作。我都是站着洗头，当然站着洗身体一定会弄湿，洗头得顺便洗澡。

美·容·大·王
经验谈

我平常是用Kiehl's的胺基酸洗发精，它非常适合我的发质，但不见得适合每一个人。我曾经推荐这一款洗发精给朋友用，也去了解她们用过的心得，还亲自检查她们使用过的头发状况。有的人说这款洗发精不适合她们，我检查过也发现的确如此。每个人的发质不同，同一种洗发精你用得很好，不见得其他人使用也好。但是，若你也像我一样，留有一头长直发，不怎么整烫它，就是头发状况跟我很像的话，你可以和我一样用这款洗发精试试看，我觉得真是挺好用的耶！

宝贝秀发的 7 种严苛守则

有些人的额头边缘会长胎毛，我就是属于胎毛很多的人。我觉得胎毛自然又好看，所以不建议剃掉。很多艺人或模特儿在化妆师的建议下会剃掉胎毛，剃多了后反而长出刺刺的、摸起来像小平头质感的短毛，很可怕！

头发其实真的不太需要太去弄它整它，健康自然就是美。

维持头发健康的方法，除了注重清洁、不染不烫之外，在日常生活中注重细节也非常重要，请张大眼睛看我接下来要介绍的变态行为，史上最严苛的护发行径非本大王莫属！

美容大王教战守则——
呵护秀发严禁做的事

◎ 守则 1： 保持距离以策安全

我平常绝对不让头发接触到它不该接触到的东西。譬如，我坐椅子的时候会把头发撩放到胸前来，才去靠椅背，绝不可能让它夹在背部和椅背中间，遭受无情的摩擦压迫！

◎ 守则 2： 谁都不能压到它

坐车的时候，我也一定把头发放在安全带的前面，绝对不让安全带压着它，也不能让头发被安全带摩擦到！

◎ 守则 3： 不让它碰到不该碰的

在家里看电视的时候，我也会把头发放到前面，不可能让头发摩擦到沙发！

◎ 守则 4： 睡觉要把头发撩起来

如果你的头发长到一个程度，睡觉的时候你一定要把头发撩起来睡，绝对不可以将头发压在身体与枕头中间。如果让头发与枕头直接接触，只要试过两天你醒来就会发现头发整个都打结了，发质变得很干，这是让头发与枕头接触摩擦的后果咯！

◎守则 5 ：连手都不能碰到

　　男友要搭我的肩膀，我也要把头发撩起来，才让他的手搭上肩。这些听起来虽然都很变态，而且我的朋友也觉得我的行为变态，可是我就是用这样变态的手段来保护我的头发！

◎守则 6 ：尽量不绑马尾

　　我在家的时候也不太绑马尾，因为绑马尾会让前额的头发掉得厉害，戴发箍也是可能让你前额的头发掉得厉害的另一个祸首！

◎守则 7 ：自然垂下摆两边

　　我在家一定将头发放下来，平均地分成两边，将它们垂放在胸前。只有这样平均垂放，才不让头发偏重任何一边。只要一边的头发较重，那里的头发就可能容易掉！

水水润润的护发诀窍

老实说，大王我真是非常少上发廊去护发。除非真的是在非常无聊的情形下才会到美容院护发；或是陪着朋友去弄造型，在一旁没事干，才会请美容院的人替我护一下头发。除此之外，我情愿自己在家DIY。

一般美容院在洗头时会把你的头发整个卷起来，也没特别梳就直接帮你洗，洗完之后打结成一团，然后又用毛巾把整个头包起来，放下来后就直接开始梳、开始吹。要知道，你的头发在它被卷起来的过程中已经受到伤害了，这时候若再加上梳头，就会掉下比平常更多倍的头发呢！

美容大王教战守则——
润发时不可不知的事

◎ **润发必知 1：**
润发顾名思义那就是用来滋润发丝，所以不需要把它放在头皮上。

◎ **润发必知 2：**

　　大约是耳朵高度以下的头发才需要用到润丝精，也就是头顶到耳朵的那一段是不需要用的。你的发尾才最需要润丝精的滋润，全头用保证你的头发会沉重好几斤！

◎ **润发必知 3：**

　　润丝不像洗头必须用指腹搓，而是用手指梳顺头发后握成一把，等头发都顺了就可以冲掉了。

你有几把梳子？
梳头魔法养成术

　　梳头发也很重要很重要，它也是一门大学问，所有美女必修。

　　我认识一个发型师，他告诉我，梳头发的次数一定要超过你的年纪，如果你十几岁就梳十几下，年纪愈大，按摩头皮次数也需要愈多。我要求自己每天一定至少要梳超过四十下，而且每一个部位都要梳到！

　　我这美容大王有非常多把梳子分别用在不同用途。大家不妨也瞧一瞧咯！一般我会在头发仍是湿的时候先用宽齿扁梳梳头。宽齿扁梳我倒是没有什么特别品牌的偏好，一般店里买到的宽齿扁梳就非常好用。

美容大王教战守则——
洗头后梳发正确步骤

◎ 步骤 1：

　　用宽齿扁梳先将湿发分成三部分，左边、右边、后方，一次处理一部分。

●梳头时第一步一定要先把左侧、右侧和后方的发尾梳开。

◎ **步骤 2：**

　　先用手梳穿过头发，握成小撮马尾，从发尾开始一点一点梳开。

◎ **步骤 3：**

　　再从发尾慢慢梳上来，最后才梳到头皮。

◎ **步骤 4：**

　　步骤 1 到步骤 3 都做完后，就可以开始吹头发了。当头皮快吹干时，我通常会用一把专门按摩头皮的大梳子来梳头皮，但是不见得需要让梳子从头皮整个梳到发尾，梳到头发仍湿的部位就停下来。这种梳子可以活络头皮，让人感到舒服。我现在用

●发尾都梳开了，再慢慢往上梳，最后一定要按摩到头皮哟！

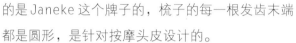

的是 Janeke 这个牌子的，梳子的每一根发齿末端
都是圆形，是针对按摩头皮设计的。

◎步骤5：

梳完头皮后，大王我会再用一把专门梳头发的大梳子，
开始梳发丝。记住，一定要从发尾开始梳，确定发尾每一
个不顺打结的地方都被你打开来了，才可以整头开始梳。
梳头发千万不能硬扯，梳不开的地方可以用手去抓着打结上
方的部位，慢慢用梳子将打结处轻轻梳分开来。

除了宽齿扁梳和按摩头皮用的大梳子，我还常用一种尖
尾梳。头发要分线，或是绑完马尾之后想要将散落的头发看
起来贴紧一点，我就会沾点水，然后用尖尾梳梳平。平常还
会随身带一把防静电梳，是意大利 Janeke 这个牌子。冬天时、
坐飞机时或是到了天气干燥的地方，最容易产生静电了，因
此一把防静电梳是绝对不能少的！

另外有一种鬃毛梳的防静电效
果也不错，可是我比较不推荐。鬃毛
梳梳起来的感觉只能梳到头发的表
层，而且梳完之后你的头发会神奇
的变成一片，不是根根分明。鬃毛梳
虽然可以防静电，但对于长直发的
人来说，真的是不太好用！

聪明搞定秀发——
　　吹风机使用秘招

　　别怀疑，本大王的吹风机跟梳子一样也很多。

　　对于大家都说头发不太需要去吹干这档子事，我有话要说。我觉得头发不去吹干这方法其实不太好，因为如果常让头发自然干，久而久之发质会变得又扁又塌。刚开始你会感到头发非常柔顺，你以为这样就是发质很好，可是几次试下来，我发现头发不但变得很细，甚至还细过你的毛孔，这样子会让你的头发变得脆弱无比，一梳就掉，所以这个方法显然是错误的。如果你是担心头发吹干会伤害到发尾，那至少也一定要把头皮给吹干的！

　　我这美容大王则是坚持洗完头之后，一定要把整个头发吹到全干！

　　我有几种专门吹头发的吹风机，一种是恒温吹风机，它会维持一定温度，不会烫到我宝贝的头皮。若是持续吹某一区块导致那部分的头发温度过烫，这个吹风机就会亮红灯，我就知道要赶快移开。这是我最喜欢的一只吹风机，因为它很替主人想。

　　另外我还有一把拥有神奇魔力的吹风机。这种吹风机上面有个卷梳，下面则是出风口，一边梳一边吹头发，头发就会变得很直很亮且不会毛毛的。虽然这种吹风机会相当程度地伤害你的秀发，但它还是很好用，因为它会让你的头发看起来闪闪亮亮的。有了这种吹风机，离子烫的人也不需要去给人家吹直，这也是我造型时最爱的一把吹风机了！

美 · 容 · 大 · 王
经验谈

有时做造型难免要盘头发，因为要扭曲头发，所以也会伤害发质。通常我都是真的好几天没洗头了，头发没那么柔顺好看，才会将头发盘起来。

美女必学——
发型适合你，天天好心情

　　我周围的朋友好多次进了美容院，却是心情十分不爽地出来，Why？花了钱应该是要变美，变美应该要心情好到不行才对呀！？原来是因为她们要追求的是梅格莱恩或薇诺娜瑞德的发型，对造型师来说这根本是不可能的任务啊！

　　薇诺娜瑞德常留的是那种非常贴的短发，很可爱又有个性，但是以东方人的发质来说不太可能做得到啊。如果是有自然卷的东方人，剪那么短会使头发膨起来，就算是发质很好的直发，剪短后也会立起来，不管如何都很难贴在你的头皮上，除非你抹很多很多造型液。而梅格莱恩的头发，是老外那种软绵绵的质地，剪好以后随时一抓，就会成一道波浪形状，可是东方人根本不是那种发质，不可能随手一抓出现一道美丽的波浪的！

　　所以进美容院之后，一定要跟美容师好好沟通。我的建议是，先找一张你想要的发型照片，问美容师能不能做到，如果美容师跟你说很难，或是成功率很低，那你最好当天洗个头就走出来，不要硬做下去！

美·容·大·王
经验谈

刚出道当新人时，要做什么造型都不是自己可以决定，但是当我终于可以自己决定造型时，我就坚持不抹胶、不刮发、不烫发、不染发、不上卷子（这些都是十分伤发质的行为）。如果要让头发服贴，就是只能喷水。如果当天有很重要的派对或是颁奖典礼，需要固定发型，我最多只接受护发素，就是平常你去美容院他会帮你弄的那种护发素，黏黏的，可是那也只有在大型颁奖典礼或是对我来说很重要的派对场合才可以这么做。

美女必看——
其他hair care 备忘录

◎ **备忘1：头发保湿**

在头发微湿状态时，我会搽毛鳞片液，里头含有一些卵磷脂成分。品牌我倒是没有特别推荐的，我目前使用的叫做丽得康（REDKEN，雷德肯）整发液，在一般美容材料行都买得到。只要两三滴抹在发尾上，就可以让头发柔顺好吹理！

◎ **备忘2：头发随时随地防晒**

我出门的时候，绝对不可能让我的头发曝晒在太阳下，双手一定随时撑着洋伞！如果你是喜欢游泳、喜欢去海边玩、喜欢晒太阳的人，本大王建议你最好选择不需要柔顺闪亮的发型，染个颜色、剪个层次或是烫一下，因为柔顺长发是禁不起阳光曝晒的！

我出门还会戴铁面人遮阳帽，但就算是戴着我都还是撑着伞。拍戏的时候，也一直等到正式拍的那一刻，才把洋伞移走。

◎ 备忘 3 ： 分叉一定要剪

有人说分叉不能剪，说是剪一根会长三根，就像拔白头发一样。可是我觉得分叉一定要剪的，而且有一根剪一根，否则分叉就一直在那里。将分叉头发剪得差不多了，再去好好地保养自己的头发，发质就会变好咯！

◎ 备忘 4 ： 吃天然的头发保养品

吃海带、芝麻会让发质变好。我从高中开始就下定决心要让发质变好，所以每天都吃海带。只要把头发的底子打好，接下来就算对它做一点点伤害，发质也不会轻易变糟或变脆弱。

除了海带，听说黑芝麻也不错。本大王如果去甜品店，或是谁在煮汤圆之类的，我就会特别选择芝麻的口味来吃。

◎ 备忘 5 ： 尽量不染发

染发真的很伤发质，就算是传说中的护发染我也尝试过，但也还是伤发质。听说现在最流行的是植物染，可是那种染法也会让头发变得很干燥。

　　但如果你是自然卷必须离子烫，又想让头发看起来发质好，教你个妙方：烫离子烫后再将头发染黑！一般拍洗发精广告的model其实都有把头发染黑，选深蓝色或深紫色染料，头发看起来就很亮很黑。

◎ 备忘6：和摩丝、定型液说拜拜

　　像摩丝、定型液这些造型品我真是很久很久不用了！因为这些造型品都含有酒精成分，每天使用，会使你的头发掉得和断得更厉害的！

◎ 备忘7：这样绑头发就不容易掉发

　　留长头发的人最方便的就是绑马尾。最近最流行的绑马尾的方法是：把发顶乱乱地、松松地抓起来绑，之后再用尖尾梳或手将发顶弄得看起来像是一撮撮的，颇有欧美风格，也比较不伤发质。

　　但绑马尾时前面的头发难免会被拉紧，很容易掉，我想到一个办法，就是把前面的头发稍微修短一些，有一点层次，绑马尾时前面的头发就绑不到了。但剪完层次头发一定会看起来毛毛的，你最好找一位老练的师傅，他不一定要剪出最时髦新潮的发型，但他的剪发技巧一定要很

高超！

　　另外用什么来绑头发也是大学问。例如，四方柱状的橡皮筋对你的头发非常非常伤，将它拆下来时还会紧紧地咬住你的头发，让头发断裂，所以千万不能用。

　　还有一种橡皮筋是扁的、亮面的，那种就非常好用，可以用来绑小撮小撮的头发，就是我们常在屈臣氏看到的那一种。但如果你是要绑整束马尾，还是得用圆柱型的松紧带。反正记住，绑头发就是要用圆柱型的，不能用四方柱型的哟！

◎ 备忘8：如何让头发长得快

　　希望头发长得快一点，或是有某一个区域的头发被你扯断了很多，市面有产品可以使你的头发长得比较快。例如资生堂有个长青产品叫"不老林"，用它来搽头皮，头发会长得快又浓密。另外，想让头发快速生长可以使用含有海藻成分的洗发精，像是在美容药妆店里卖的海藻生姜洗发精，它会让头发长得很快，可是头发也会因此变干，用完后要记得加强润发。

　　而如果你有头皮过敏或是头皮屑的问题，除了用坊间卖的相关产品，本大王还是建议你去找医生，寻求专业医疗的帮助才能彻底解决问题的！

● 图片提供：资生堂 SHISEIDO

PART **3** THREE

超自信美颜
完全养成！

一分耕耘，一分收获

不管你的天生长相或是外表条件有多糟，其实只要靠保养，很多底子都可以重新改变，譬如皮肤黑的人经过一段时间保养就可以变成皮肤白的。像大王我本来是皮肤满黑的人，可是我非常努力让自己变得跟卫生纸一样白，结果，我现在真的白得像卫生纸咯！另外我曾经失手将睫毛全部剃光过，所以有一阵子的我是完全没有睫毛的，但是我就是有办法凭着努力让它全部重新长出来！我要再次提醒大家，世上没有丑女，只要努力耕耘，就会有美好的收获！

既然再丑的女生都能靠保养变成美女，那要从几岁开始保养最恰当？本大王觉得，你什么时候开始使用化妆品，就从那时候开始美容保养就对了！

一般的青春女学

046

生，平日根本不化妆，如果没有特别破坏自己的皮肤，何苦还要在脸上涂一些有的没的，就只要好好专心注重清洁就可以，不需用什么特别的保养品。有什么保养品会比青春更棒呢？

像我姊姊是从来不化妆的，她就只要注意好好地清洁，另外只要针对当时皮肤有什么状况，像是忽然长出了痘痘，或是需要去角质时再去做处理就好了。

美容大王教战守则——
去角质让肌肤光彩明亮

去角质是我很早就知道的美容方法，我认为不论是男生女生都要去角质。厚厚的角质堆在脸上，脏东西出不来，保养品也进不去，肌肤看起来当然就没有光彩咯！

特别是有一种人一定要去角质，那就是每天化妆的人。如果你卸完妆、洗完脸后，发现脸色看起来不均匀，又像是粉刺或鸡皮疙瘩之类的颗粒，代表你的角质层真的太厚了，一定要去角质！

◎去角质秘笈一：磨砂膏效果强

如果你的角质层非常厚、毛孔非常粗大，去角质自然是用磨砂膏比较好。不过要用哪种产品来去角质，最好还是要看皮肤状况再决定。磨砂膏我推荐 DHC，它没有什么泡沫，也没有洗洁剂，就是单纯的磨砂膏。

◎ 去角质秘笈二：
凝胶和酵素效果温和

　　但是若你的皮肤敏感又容易破皮，代表你的皮肤比较细，用磨砂式的去角质品反而容易导致反效果，容易囤积黑色素，建议你用酵素性的面膜凝胶来敷脸，温和地去角质。

◎ 去角质秘笈三：
轻轻去掉嘴角、鼻翼角质

　　有些人的鼻翼、嘴角容易囤积黑色素，这代表你皮肤上这些地方其实是很敏感的。如果因为它黑，你又拼命去搓它，它会变得更黑。消除这些部位的角质最好的方法，就是敷脸！

Face

◎去角质秘笈四：
果酸产品小心用

　　市面上有很多果酸成分的去角质用品，但果酸成分效果强烈，大概比较适合骑机车的男生吧，他们脸上的角质层真的很厚。一般女生，尤其又是常常洗脸的女生，用果酸产品若是没有拿捏好，可能会过度刺激。所以，对于果酸产品，除非你的角质层真的很厚再用它，否则真的要小心使用。

美·容·大·王
经验谈

归纳说起来，造成你肤色暗沉的可能性有三种：一种是你吃了调经片或避孕药的副作用，二是你的角质层太厚，第三就是你天生的肤色比较黄。
这些用美白来改善就很有效。我特别推荐生活美容中心的红酒面膜，它能活络皮肤的血液循环，让皮肤看起来闪闪发亮！

无瑕没斑点的皮肤最优质

像芝麻般地洒在脸上的小斑点，是许多女人心中最大的痛，看了就会叫人生气和心烦。雀斑或晒斑还容易解决，但是肝斑或是天生就有的斑，这两种斑一辈子都不会离开你的！雀斑、晒斑这些比较浅层的斑，可以勤敷面膜来改善，我很推荐 SK Ⅱ 的集中淡斑水凝膜，你可以用在斑严重的部位，每天连续敷它，效果会一天天显著。此外做脉冲光也会有显著的效果。打脉冲光若说不痛是骗人的，但是它的疼痛度应该是一般人都能忍受的范围。

●图片提供：SK Ⅱ

不过如果是肝斑或是天生的斑就麻烦咯！像本大王的脸颊天生就有两块斑，我从小到大非常痛恨它，想尽各种办法，就算打脉冲光也打不掉。医生说我的斑是天生就有的，除非做镭射才去得掉，因为镭射能处理更深层的皮肤构造。但问题是，做完镭射后的部位不能晒太阳、不能上妆，可是我每天都必须工作必须化妆，更何况镭射做完后可能几个月之后又会长回来，哇，那不是要一直镭射下去，太麻烦啦！

所以，如果你和我一样有这种不易消除的斑，建议你敷面膜让它变淡一点，或者在化妆时用些盖斑膏来遮咯。

毛孔细致的秘密

    毛孔大，不美观又有碍肌肤健康，所以我这美容大王无论如何都不让毛孔变大。一旦毛孔大了，就会越变越大！通常粗大的毛孔里容易藏粉刺，所以缩小毛孔前要先解决掉粉刺问题。很多人觉得粉刺、痘痘不能挤，可是你不挤它就永远在那里，就算你用再多缩小毛孔产品都缩不了毛孔的！

    如果你的粉刺是比较浅的那种，定期去角质就能好好改善了，但如果你的粉刺是比较深的那种，建议你用挤痘棒来处理。先用温水洗脸，再用温毛巾敷脸让毛细孔稍微打开一点，圆圆那一端在使用前先用药用酒精棉片、或用化妆棉沾茶树精油消毒，再轻轻地刮你的粉刺。要是还有顽强粉刺刮不出来，就代表你需要去医院看皮肤科医生了。

    另外有个去粉刺的方法本大王不建议你用，就是妙鼻贴！我曾经用过，撕下来后我鼻子的皮都破了，除非你是男生或者是皮肤超强壮，否则最好不要用！

    清理完粉刺后，就可以

动手缩毛孔咯！美妆店有卖一种一颗颗的硬币式棉质面膜，用小杯子装入些可收缩毛孔的化妆水，像是雪肌精或是肌肤之钥，再把这种硬币式的面膜丢进去化妆水里，它很快会张开，变成完整的面膜，方便你敷全脸。

　　用完化妆水后，一般人会再擦些乳液面霜来滋润皮肤，但通常毛孔粗大的人皮肤比较油，一般的乳液面霜对油性皮肤的负担有些重。建议你改用精华液，它介于乳液和化妆水中间，质地比凝胶还细，很适合油皮肤或是过敏肤质。

美 · 容 · 大 · 王
经验谈

前面提到的雪肌精和肌肤之钥里，都含有些许酒精成分，有的皮肤容易过敏的女生用起来可能会觉得皮肤有点痒痒的。我另外再推荐一瓶Kiehl's的小黄瓜化妆水，它没有酒精，搽上去比较温和舒服，我每天搽，觉得毛孔一天比一天还细致呢！

● 图片提供：Kiehl's

战痘秘笈不藏私大公开

　　很少人是完全不长痘痘的！痘痘若已经冒出白头，那还真是幸运，你自己可以在比较不伤害皮肤的状况下把它挤出来。但如果是暗疮的话，建议你就算是只长出一颗也要看医生，自己挤万一脸上留了痘疤可一点儿也不划算！

美容大王教战守则——
超神效战痘妙方

◎妙方1：贴撒隆巴斯

　　如果你发现脸上长出红红的一块，而且压下去会痛，代表它是一颗即将冒出的大痘痘。这时候你可以用撒隆巴斯剪成盖住痘痘的大小，在家里贴着它，一段时间后痘痘就会消了。对于偶尔长痘痘的人来说，撒隆巴斯还真的挺有效，但你若是长期冒痘痘、内分泌失调的人，这个方法可能对你没有效的。

◎妙方2：用除痘面膜

　　吴英俊医师的英爵联合诊所卖的一种除痘面膜e-do，

●图片提供：**英爵联合诊所**

是睡前用的，少则敷一两个小时，长则可以敷一整个晚上。我长期看着我的朋友敷这种面膜，痘痘的状况真的改善很多哩！

◎妙方3：搽茶树精油

偶尔长痘痘可以使用茶树精油稍微搽一下患部，因为茶树是治疗痘痘非常好的成分。但是使用茶树精油前一定要先稀释，再用棉花棒沾在你的痘痘上。一涂上茶树精油你会立刻感受到痘痘收缩了。我都是使用AROMABAY这个品牌的精油。

◎妙方4：看医生

除了脸上，背部也是容易长痘痘的地方。痘痘长在脸上可能是控油的问题，痘痘长在背上则可能是身体健康有问题，也许跟你的内分泌有关。如果背部常长痘痘，就必须去看医生。我推荐一家优德诊所，它是真正治痘痘粉刺的大专家！

肌肤干燥紧急 SOS

有些人在换季时皮肤干到发痒，有些人则是因为长期待在空调房里，使得皮肤干得像掉漆……如果皮肤老是干干的，又不去加强保湿或是滋润它，它很快就会像花一样缺水凋谢！通常皮肤干燥的人，肤色会暗沉，而由于皮肤常脱皮，也容易局部堆积黑色素！

美容大王教战守则——
防止干皮肤SOS

◎ SOS 1：每天敷脸

每天都要敷面膜，例如在美妆店就买得到的Lifecella果冻面膜，对于保湿满有效果。

◎ SOS 2：喝胶原蛋白

大部分脸部干燥的人，身体也很干燥。我推荐大家喝FANCL的胶原蛋白饮料，它可以改善你全身的肤质。但是要注意，吃素

●图片提供：FANCL

的人不可以喝这种胶原蛋白饮料，因为大部分胶原蛋白的原料都是来自动物。胶原蛋白是一种很容易流失的成分，在经济条件许可情况下，建议你要维持一直喝胶原蛋白，持续补充。

SOS 3：吃燕窝加牛奶

燕窝是美容圣品。以前本大王每天都吃燕窝加牛奶来保养皮肤，吃素之后我决定不吃小燕子的家了。但当时吃燕窝加牛奶时，我发现它真的有满好的效果。

大王爱用的
脸部清洁保养品

　　我曾看过一个报导说，化妆水其实没有存在的必要，如果你的皮肤没有毛孔粗大的问题，可以不搽化妆水。但我建议大家还是要常用化妆水比较好耶！诸如此类的迷思，只要有认真保养的美眉一定都遇过，像我也是花了很多的钱、时间和心思才得到经验的。

　　下面是一些我用过觉得很不错的产品，不见得是最贵的，不过我使用后都很舒服，质地也很容易吸收，大家可以参考参考哦！

◎ 超推荐 1：精华液

　　大王我觉得化妆水在保养程序中还是第一个用效果最好，接下来可以选择只用精华液，或是搽上精华液之后再搽上乳液。我觉得精华液真是一个很好的发明，它容易吸收，又不油腻，不管是美白还是保湿效果，都非常好用！

　　我推荐英爵联合诊所的美白精华液，但它只能在晚上搽喔！

◎超推荐 2：资生堂 UV White 美白精华液

我推荐资生堂 UV White 白色瓶装的夜间美白精华液，它搽起来很清爽，很容易被皮肤吸收！想找这款精华液，请向资生堂东京柜询问吧。

●图片提供：**资生堂 SHISEIDO**

◎超推荐 3：资生堂 UV White 优白洗面皂

洗面乳我也推荐资生堂 UV White 的优白洗面皂，用它洗脸，觉得脸特别清爽。

◎超推荐 4：KOSE 的黛珂系列

如果你是过敏性皮肤，不管搽什么保养品都会长肉芽、长红点、或感觉皮肤痒痒刺刺的，推荐你用 KOSE 的黛珂系列，这是特别为敏感性皮肤设计的产品，包括精华液、日霜、晚霜、眼霜和洗面乳，温和又有效果哩！

脸部的毛毛不见咯

　　身为美容大王的我发现，在所有的脸部保养里，大家最常忽略"毛"的问题！

　　第一是鼻毛，很多女生忘记剪修鼻毛，一笑鼻毛就露馅了，实在太难看！第二是胡子，很多女生是大胡子美少女，胡子颜色深又多。我知道胡子非常难处理，又不能刮它，拔它又非常痛。推荐你用Sally hansen出的一种叫作漂胡剂的东西，严格说起来应该是漂汗毛剂才对，是朋友在美国帮我买的。不过，我真的不知道这个品牌的漂汗毛剂台湾买不买得到，但Sally hansen在台湾有推出其他产品，也许你可以请美妆店帮你查询看看咯。

告别讨厌的黑眼圈

　　尽管是尊贵为大王的我，也觉得黑眼圈非常难处理。很多人不知道黑眼圈是怎么造成的，通常鼻子过敏的人，都会有黑眼圈，睡眠品质不好、失眠，或常常熬夜的人，也容易有黑眼圈。黑眼圈最好解决方法是睡美容觉（但对鼻子过敏的人效果有限），美容觉的黄金时间是晚上十一点到三点，这样睡一个礼拜，熊猫眼就会神奇地自动消失，包括眼袋也是一样喔！

　　但你如果无法睡美容觉，就去敷眼膜、搽眼霜吧，它们也能改善你的黑眼圈，但是这种外在的保养，只能暂时减轻症状，睡美容觉还是最有效的方法。

　　我还听说过一种激烈的手段，就是用蜂螫处理黑眼圈。国外的蜂螫是用来治血栓症的，中国却用蜂螫处理黑眼圈！我不知道这种方

美·容·大·王
经验谈

有一种日本进口叫MTM的眼膜，我用过觉得效果不错，它连眼睛的细纹也能消除。另外，LaPrairie这个品牌的眼霜也很好用，它是凝胶状，用了不容易长出小肉芽，不过凝胶比乳液和乳霜刺激，敏感肌肤要小心用啰。

●图片提供：MTM

Face

法是不是真的可行，毕竟没有任何医学证据来证明蜂螫疗法有效，我并不推荐，也没有胆去试！

但我曾经尝试过脉冲光除黑眼圈，确实是比眼膜和眼霜有效，但也没办法完全消除黑眼圈。所以，还是睡美容觉吧！当个睡美人比较便宜又实在！

血丝不要爬满我的眼

要当超级美女，绝对不能容许眼睛布满血丝！

如果你熬夜到凌晨四五点才睡，就算睡到中午醒来，恐怕还是会变成满眼血丝的丑女！真的没时间睡，那就睡十一点到三点这段黄金睡眠期，短短的四个小时也就够了，真的没办法在十一点上床睡，那至少也要在一点上床，睡一点到三点，反正尽量不要晚过一点睡啦！

此外，长时间看书、盯电脑会让眼睛十分不舒服，你不妨利用空闲的几分钟，转动你的眼睛，多做眼睛运动会看起来比较灵活，黑白分明。我最近看一个中医就是这样教大家的，当作眼珠也要每天做做美容小运动。运动方式很简单，就是上下左右绕圈圈，非常简单。

看《美容大王》到这里，中场休息一下吧，喝杯水，也让你的灵魂之窗运动一下，左三圈、右三圈，上下左右再三圈，然后闭目养神几秒钟。记得，每隔一段时间就要做这个眼部美容操哟！

不要让细纹占据眼尾

大王我觉得鱼尾纹有它的小小魅力呢，如果男生笑起来有点小鱼尾纹，其实还满好看的，包括有些女生也是。但是眼睛下方眼袋部位的细纹，就一定得要去处理保养它！

关于眼睛用的保养品，我有过惨痛的经验。我曾经不小心把含有酒精成分的眼部保养品搽进眼睛里，当时我的眼睛瞬间刺痛到猛掉泪。另一次的主凶是卸妆油，导致我整天都视力模糊……所以在你宝贵的眼睛上使用保养或卸妆用品时，一定得非常小心才行！

部分品牌的眼胶可能含有酒精成分，如果它的酒精成分已经重到让你眼睛不舒服或长出小肉芽，就是不适合你。不见得最贵的东西都是最好的，药妆店或是百货公司专柜，通常都会做每个月的消费排行榜，只有好口碑的产品能登上排行榜，而且它们通常并不贵呢！

美容大王教战守则——
如何彻底隔绝眼部小细纹

◎ **守则 1： 温柔对待它**

　　绝对不能揉眼睛四周的脆弱肌肤！化眼妆的时候也不能用手强力地将它往下拉，尤其是在画下眼线时！如果真的必须碰到这部分，也一定要轻轻地，或是先用粉扑垫着，轻轻地压！

◎ **守则 2： 用冷水洗脸**

　　这个秘方也是我从一个五年级女艺人那边听来的。她告诉我不管天气怎么冷，她都坚持只用冷水洗脸，这会使全脸皮肤（当然也包括眼部皮肤咯）不容易产生细纹，毛孔也会变小变紧实，而且皮肤看起来会比较白呢！

◎ **守则 3： 搽眼霜 & 敷眼膜**

　　眼霜早晚各搽一次。眼膜就算拍戏没有时间，我一个礼拜也会敷两到三次。如果你眼睛周围的皮肤还算健康，一个礼拜或两个礼拜敷一次眼膜也 OK！

　　正确搽眼霜的方式是：下眼皮用中指指腹

● 图片提供：**英爵联合诊所**

慢慢地往外推，不能往内，会产生皱纹，要轻轻地，千万别用力拉到眼皮变形，力道的微妙只有你自己最清楚。上眼皮则是从眼尾推向眼头。简单来说，就像以眼头为起点，逆时针绕一个圈圈咯！

另外本大王再推荐一瓶英爵联合诊所抗老精华液，它本来是为脸部设计的，但我将它用在眼睛上，也相当地改善了我眼睛的细纹！通常我将它搽在大拇指下方突起的金星丘上，搓一搓，搓到一定热度后盖住眼睛然后轻轻往外推，如此一来整个眼睛都能涂到，手上的热度更能帮助皮肤吸收！

◎ 守则4：拒绝紫外线伤害

如果你要去烈日曝晒的地方，像是打高尔夫球、去海边玩，建议你要戴个墨镜。紫外线不但让你长斑、变黑，还会使你长小细纹，远离它才是上策。

美 · 容 · 大 · 王
经验谈

你当然不能一辈子都用同一个品牌的保养品，但也不需要快速地换品牌。一种产品若你第一瓶用了觉得不错，通常用到第二瓶之后皮肤会对它产生抗药性，效果会变差，所以同一种保养品用到第三瓶就差不多可以换啰！

金鱼眼超速救急法

谁不会眼睛肿，美女有时也会有凸槌的时候，睡前喝太多水，或是那阵子比较疲累，眼睛都可能会肿成金鱼眼！

有些消肿偏方很流行，例如我在 PART ONE 里介绍过的薏仁水，不过喝薏仁水是全身性的消肿。还有一种不是那么健康的消肿法，就是喝黑咖啡。很多艺人早上起床先喝黑咖啡，脸部的肿很快就会消失，效果奇佳，不过这可是十分伤胃，我这美容大王不建议你时常这样做喔！

另一个更变态的方式，就是冷水里面加冰块，然后憋住气把整个脸泡进去，这招挺有效！可是除非很必要，像是当天就要拍结婚照，或是当天就要试镜，才需要用这种极端的手法。否则，平常在吃早餐时配杯黑咖啡，这样就能消水肿了。

前阵子新闻曾报导用红茶包来敷眼睛，可以消水肿兼消眼袋，这样的做法是错误的，它会造成眼睛四周的过敏。而大王我也真正试过，其实真的没有什么太好的效果。如果你真想在短时间内摆脱金鱼眼，用毛巾包冰块冰敷眼睛是最快的，但不要太用力压，这应该是最天然也最快速的方法。

水漾魔唇炼金术

　　双唇水水嫩嫩，不管是男人女人，都会觉得超性感的吧！

　　唇色深的美眉，我这美容大王建议你用唇蜜来改善唇色，而不是用条状口红。唇蜜的颜色不能太亮，用比嘴唇颜色再淡一点点的颜色最自然。如果你的唇色是深红色，就用较透明的红色唇蜜；若是深咖啡色的，就用淡淡的咖啡色系唇蜜。唇蜜涂在唇部中间就好，不用特别强调嘴角，也不用特别勾唇边。

　　另外不同肤色的人，适合用的口红色系也不同。皮肤白的女生适合粉红色或大红色，而皮肤黑的女生最适合的就是橘色系或浅咖啡色系口红喔！

美容大王教战守则——
魔漾美唇炼金术

◎ 魔唇术 1：重清洁

　　嘴唇最重要的是卸妆和清洁。我推荐植村秀的卸妆油，它可以帮你将所有的妆卸得很干净。用卸妆油轻轻地搓，等所有的唇彩都看不见了之后，再用清水洗掉。但卸一次不够，要再重复卸一次才算彻底喔！

●图片提供：**植村秀SHU UEMURA**

◎魔唇术 2：爱用护唇膏

　　想宝贝你双唇娇柔的肌肤？我推荐非常好用的 Kiehl's 一号护唇膏。这种护唇膏有两种，如果你常外出嘴唇又干的话，它还出了一种防晒系数 15 的护唇膏。有些人的嘴唇晒太阳就是会变黑，先搽上防晒护唇膏再上唇彩，不但可以防晒也可以避免细纹产生哩！

魔唇术 3：热敷

　　另一种保养方式，将 Kiehl's 的一号护唇膏或是凡士林，厚厚涂一层在唇上，然后剪一个嘴巴形状的保鲜膜黏着，再用热毛巾敷在嘴上。如果想重点加强，你可以再拧热毛巾多敷一次。撕掉保鲜膜后，你会发现嘴唇柔润许多哟。当然也可以不用保鲜膜，只要在睡前搽很厚很厚的护唇霜，隔天起床嘴唇也会变得柔柔润润！

◎魔唇术 4：保养唇色

　　本大王相信只要你平常好好保养，嘴唇的颜色自然就会变得好看。何况嘴唇的颜色很多是天生的因素，东方人天生的唇色多是朱红色，还挺好看的，就算是天生唇色黑的美眉，只要确实做好清洁与保养的工作，也能有效改善唇色的！

　　另外有人说眼霜可以拿来当唇霜，我自己则觉得不需要到这么强烈的手段。况且涂在嘴唇上的东西，很容易吃进肚子里去呢！

◎魔唇术5：处处呵护

如果你的嘴唇没什么特别问题，一个月热敷一至两次就可以了，但是护唇膏是每天、甚至你没事时都该要涂的，要涂口红或补口红，也一定要先涂护唇膏再上口红。另外，不管你要卸口红或是擦嘴，动作一定要轻，因为嘴角皮肤很脆弱，容易破皮。也尽量不要用卫生纸擦嘴，用柔软的面纸比较OK。

还有，千万不能在嘴唇干的时候一直舔它，越舔会越干，最后甚至会演变成脱皮！如果冬天的嘴唇已经干燥到生出白白的脱皮小屑屑，化妆师教过我一个妙方：将棉花棒沾了热水后涂上嘴唇干燥脱皮的地方，停个两三秒，等它温度稍降后再轻轻搓掉那些死皮，轻轻松松，撕皮屑撕到流血这种事就再也不会发生了！

美·容·大·王
经验谈

我曾用过珍珠粉敷嘴唇，效果不错。就是将珍珠粉适量倒在手上，用大量护唇膏调和搓一搓，然后涂在嘴唇上。这种方法很变态，嘴唇会变得很白，但听说也有保养效果。传说中珍珠粉是保养圣品，擦哪里都有效。可是我天生的唇色不深，用完后淡化唇色效果不明显，但保养效果我觉得还不错哩！

美肌养成水嫩备忘录

　　说了这么多关于脸部的清洁保养秘招，接下来本大王要来谈谈体内环保这个概念。如果你本身是个生活、饮食不正常的人，就算再怎么认真保养，效果也多多少少会打些折扣的。下面是我送给大家的两点备忘录：

◎美肤备忘1：少抽烟少喝酒

　　如果你真是戒烟戒酒戒不掉，那也请你在睡前尽量不喝酒，尽量不抽烟，更不要一起床张开眼就先抽一根烟。

　　至于酒，我还是奉劝各位美女一定要少喝，因为喝酒容易让皮肤过敏。很多人找不出皮肤过敏的原因，其实是对酒过敏，而又可能只是对许多酒中的某一种酒过敏，或是酒精浓度到达一个程度才开始过敏，但是美女们在不知道的情况下还是一直喝。酒不是不能喝，但千万不能酗！

◎美肤备忘2：吃得越清淡越好

　　饮食习惯方面我非常鼓励大家吃素，胆固醇过高、尿酸过高的人，吃素对改善这两种问题相当有帮助。但是也不一定每个人都适合吃素，像有些需要高能量的人，包括运动员、

年轻男性、常上健身房的男艺人，吃素以后可能会体力不够，他们需要肉类的蛋白质。

但若你是一般的OL，吃素就非常好，不管是皮肤、气色、心情以及排便状况，都会有明显的改善。如果你已经开始吃素，或是想要尝试吃素，但怕体力不足，可以每天早上起床喝一杯热豆浆加生鸡蛋，这可以增强你的体力。

PART 4 FOUR

就是要
白得彻底

姐姐妹妹爱美一起来

除了我这美容大王乐此不疲地追求美丽之外呢，小S和朋友们也都受到我的影响。她们都知道我追求皮肤一定要白到底才可以，所以也开始要求自己的皮肤绝对要白皙。受到本大王的影响，我周围的朋友个个都是大美女呢！

所有我访问过或是接触过的艺人，我一定都会注意看他们是否有在保养，再决定他们在我心中的分量。因此，许多传说中的大美女、小美女、电眼美女，我都会在看过她们本人后再去心中评估一下，决定自己给她们的评分是多少。

有一位香港女艺人，她出道非常久了。她是五年级的，年纪也比我大了不少，是个出了名的大美女。当我看到这位香港女艺人的本尊时，真是十分震惊，更深深体会到美容之路不是我所想的那样简单。

这位大美女的皮肤真的是吹弹可破，脸上光滑得连一条皱纹都没有，手脚的指甲也都修得十分干净漂亮，形状适中。她的发型也十分适合脸型，发质很好。尽管每次出现的造型不同，但是不管怎么样的打扮，都可以见到她的牙齿、露出来的手臂和脚部……每一寸每一寸都非常细致好看，简直就像是一幅名画般赏心悦目！经过访问后本大王才知道原来她十分注重自己的保养，难怪从出道到现在她的大美女地位一直都屹立不倒！

一定要赢的美白大竞赛

我爱白，我希望肌肤白得很彻底，白到没有丝毫血色也无所谓，越白我就觉得越美！

我对美白做了很多很多实验，上一个单元里我也曾说过，本大王个人的目标就是希望能和卫生纸一样白。但最近常有观众在节目中传真进来告诉我，说我最近已经白得不像卫生纸了，而是像日光灯一样，白到发亮了！！！这是我听过最令我高兴的赞美了，也代表我的美白保养真的很有成果！

美容大王教战守则——
让自己白得像日光灯的战略

◎战略1：层层防晒

首先，美白最重要的工作就是防晒。很多人觉得出门前一定要搽防晒油，但我觉得物理性防晒更好——绝对要拿遮阳伞！

买洋伞时要注意伞里是否有个标签写明这把伞是抗UV的，也就是这把伞真的可以防紫外线（一般的伞其实是抵抗

不了紫外线的）。当然市面上也有卖兼具挡雨和抗 UV 的两用伞。通常标签会缝在雨伞里靠骨架内侧的地方，或是在它的价格吊牌上就有标明抗 UV 作用。

另外，出门一定要穿长袖的衣服。很多人觉得这点很难受，因为在大热天里你可能要骑机车，或是在外头到处跑办事，免不了会流很多汗。但我还是坚持："情愿热死也不要晒太阳！"

在拍戏时本大王时常面对酷热环境，但不管如何我都一定穿长袖。像我拍《战神》时，从头到尾都是穿长袖，就算是在夏天的垦丁也是一样。我经历过比大家更痛苦的忍耐酷热经验，有多难受我完全了解，但看到我的白，你就会知道坚持是值得的！

除了撑洋伞、穿长袖，还要再戴上帽子才算万无一失！

但一般的帽子可能会弄乱你的头发或是妆，所以我都用一种"铁面人"遮阳帽，它不是整顶盖住头的那一种，只有前缘一大片突出来，还可以将前缘拉到最大遮住整个脸。就是你去作完镭射脸部手术后，医生会发给你遮阳的那种帽子啦！想自己买的话，到宝雅生活馆也可以买得到喔！

◎战略2：搽脸部隔离霜

就算你是不太化妆的人，也一定要搽些脸部的隔离防晒霜，而且SPF值要从30起跳。如果你至少会搽粉饼，那么就一定要用防晒粉饼。市面上许多品牌都出产防晒粉饼，但我推荐Chanel的，这一款粉饼打着不但防晒而且有美白效果，这个粉饼搽起来虽然轻透，但遮瑕作用很不错。

脸部的隔离霜我则推荐露得清的脸部隔离防晒乳，另外Chanel的隔离霜也不错！不过Chanel的隔离霜最好是要化妆才用，因为它含有一些珠光成分，如果不化妆只搽这个，整个脸会亮亮的，感觉很怪。但是如果你搽了这款隔离霜再去上粉，看起来就会满均匀，皮肤也会很粉很剔透哟！

◎战略3：必要时才搽身体防晒乳

有人说，不只脸要搽防晒油，身体也要每天搽防晒油。但身体防晒油它非常难卸，不仅会沾上衣服，每隔几个小时还要补搽，洗澡前又还要先为身体卸妆，才洗得掉它。除非你要做户外活动，或是每天骑机车曝晒在太阳下，不然防晒油其实不太需要搽。平常撑洋伞、穿长袖上衣、长裤加上帽子，脸部又搽防晒乳，保护得已经滴水不漏相当周全了。

White

美白敷脸要持之以恒

　　美白产品多得让人眼花缭乱，但是大王我在这里郑重呼吁，任何美白产品的成分里，只要有熊果素这个成分在，就都不能在白天使用！！

　　熊果素虽然有美白效果，却也有吸光效果，如果白天用很容易让你变得更黑。大王我就曾经吃过这个亏！熊果素一推出时就造成大热门，我立刻买了一堆熊果素产品，结果搽了以后出门拍戏，却发现越搽越黑。后来问了医生才知道，含有熊果素的美白产品必须在夜间使用啊！

　　有的产品在广告中会标示它含有熊果素，但如果没标示，产品的标签又是外文，请教专柜小姐是比较保险的方法。我现在采取的方法是晚上做美白，白天做保湿和防晒。这样就不怕会在白天用到含有熊果素的产品了。

　　除了防晒与吃美白食品外，

敷脸也是非常非常重要的一环。

脸上各式各样的问题，都可以用敷脸来改善。我几乎是每天敷脸，并且会针对当天的皮肤状况选择不同的面膜来敷脸。但是请注意，若是含有酒精成分的面膜，或是属于深层清洁效果性质的面膜，是不能每天敷的！

美容大王教战守则——
大王爱用的美白面膜

◎ 爱用 1：亮白净化面膜

这是我几乎每天都要敷的面膜。我特别推荐宠爱之名的亮白净化系列，它其中有一款亮白净化面膜，不管你是什么肤质都适用，大王我之所以能白得从卫生纸进阶到日光灯，这款面膜是头号功臣之一喔！上这个网站：www.thebeautyhouse.com.tw，你就能买到这款超好用面膜。

◎ 爱用 2：水嫩美白面膜

SKII 的水嫩美白面膜，是可以每天敷脸的超赞产品。另外还有一款曾登上日本药妆店美白排行榜第一名的Infinity masage mask，但在台湾好像买不到耶！

◎ 爱用 3：红酒面膜

有一种神奇的红酒面膜，是可以每天敷的！刚开始我听人家说过这种面膜，但是却不知道它的功效如何。后来我去了一家美容中心，里面的医生也推荐我用红酒面膜，我记得医生跟我说，你要美白的话可以敷红酒面膜，但是它的效果不是那么强；你有毛孔问题的话也可以敷红酒面膜，效果也不错；若你很忙的话也可以敷红酒面膜，一天十五分钟就可以洗掉。他一直提红酒面膜，却提不出红酒面膜到底最直接的强项主打效果是什么。于是我抱着姑且试一试的心态来用。

那段时间我正在拍戏，但是每天收工后我都敷红酒面膜，结果发现，我脸上原本因为拍戏劳累在额头长的一些过敏的小东西，竟然因此消失了！而且脸也变得更饱实、更明亮！！一天一天敷，效果也一天比一天强，然后本大王终于了解医生说不出红酒面膜究竟哪项强的原因——它改善的是肌肤整体啊！

◎ 爱用 4：维他命 C 面膜

另外在药妆店出售的 Lifecella 果冻面膜也可以每天敷，它分为维他命 C 鲜橙面膜与保湿面膜两种，都很平价又好用。

至于其他类型的面膜，像是含有酵素成分的面膜、有化妆水浸泡的面膜、有酒精成分的面膜，本大王就不建议你每天使用了。

美 · 容 · 大 · 王
经验谈

想美白，你一定要给自己起码一个月的时间。想敷一天或一星期的脸就变白，这绝对是做梦！如果你有这种心态，很容易会灰心，更会很轻易就放弃。美白的时间单位是要用月来计算的，一个月一个月地算，下个月可能只比上个月白一点点，这是想变身成白皙美女的你，一定要做好的心理准备！

身体百分白，
美丽百分百

　　怎样才称得上是百分百美女，大王我认为全身上下每一寸肌肤都要水水嫩嫩的才算是！艺人里就有不少这种全身上下肌肤都水嫩美白的优质美人，为什么她们可以做到？很简单，每一寸肌肤都注意保养。

　　想要全身肌肤美到不行，最重要是不能便秘。便秘的人因为新陈代谢不佳，皮肤一定不会好。有些方法能改善便秘：一是早上起床先喝加奶精的热咖啡，或冰牛奶；二是一起床就喝500cc的水；三是七喜汽水加柠檬，这不是一大早喝的，而是当你已经便秘了好几天，试不出办法，就不妨试试咯。

　　另外，中医也常推荐一种办法——揉肚子。用右手顺时针方向揉肚子，若你的便秘不是非常严重，揉完肚子后就会感觉肠子开始咕噜咕噜地蠕动，若是便秘非常严重的人，效

White

果就不太明显。医生还教了我另一个方法——起床后蹲在地上，蹲差不多十分钟就会想上厕所了！

　　不管是背、颈、肩，或是整个身体的皮肤，我推荐大家可以多泡美容澡。当然清洁是非常重要的，天天用身体海绵洗澡，如果容易有角质，也要定期磨砂。

美容大王教战守则——
全身美白重点加强

◎ 全身美白 1：泡玫瑰精油

　　大王我推荐大家用玫瑰精油泡澡，在放满水的浴缸里，滴进几滴，不需要特别加其他东西。市面上也有贩售一些玫瑰沐浴乳之类的产品，事实上含有玫瑰成分的产品对于身体美白都会有一点效果，但是还是精油的效果最显著！

　　泡澡可以增进血液循环，泡完后你会觉得整个身体发亮，但是一定要泡半身浴，尽量不要泡到胸口的心脏部位（由于水温和水压的影响，很多人泡到胸口会有喘不过气来的感觉）。如果你的心脏够强，泡完澡或是洗完热水澡后，可以再用稍凉的水冲一下身体，这可以让你身体的皮肤更紧实，也更加强血液循环。

◎ 全身美白2：用左旋C美白

　　若你是局部皮肤较黑，有种奢侈的办法效果显著——拿脸部美白乳液来搽这些部位。本大王就是那种奢侈的人啦，因为我都直接用脸部乳液来搽身体，而且还会在乳液里滴入左旋C哩！左旋C一般都是滴管式的，加入身体乳液一起搽，美白效果不错哩！

美·容·大·王
经验谈

　　洗完脸搽脸部乳液时，顺便按摩按摩颈部吧！若是你的颈子已经长出细纹了，也可以借着手部按摩来改善哟！将两只手搓热，由下往上轻推，不需要太用力，你自己感觉舒服就行了，如此一来，颈部的皮肤就不太会有皱纹问题了。按摩颈部的乳液用量不必多，用搽完脸部后手上多余出来的乳液就够啰！

吃出肌肤的水嫩白皙

想当卫生纸或日光灯，也要吃得很讲究！想要像我这美容大王的皮肤一样白的话，有些食物是绝不能吃的，包括九层塔、香菜、芹菜、红萝卜和木瓜。九层塔、香菜和芹菜含有吸光剂，吃了它们之后遇到阳光皮肤容易变黑；红萝卜和木瓜则因为它们本来就是红色的，吃多了之后晒得偏红或是偏黄，这些都是医学信息上已经证实的。

我有一位朋友希望自己的皮肤可以晒得健康黝黑，长期吃红萝卜与木瓜来加强，再跑去晒太阳，结果把肤色晒得黄黑黄黑的，有够神奇吧。所以如果你想美白又天天吃红萝卜和木瓜，就算保养到不行也不会很白的啦！

还有一个原则本大王很坚持，就是黑色的食物我统统不吃，像是酱油、黑醋、咖啡等等，除非我必须要消肿，才会喝黑咖啡！我以十几年的美白经验告诉大家，要美白就要多吃下面的这些食物：维他命C、杏仁、牛奶、豆浆和珍珠粉！

◎ 美白大补帖 1：维他命 C

维他命 C 含有美白的作用，但是维他命 C 最好吃维他命 C 胶囊，或是发泡维他命 C 锭，

就是丢在水中会发泡溶解的那一种，而且要早晚都吃。因为维他命C就算摄取过多，也会随着尿液排出，不会囤积在体内，需要时晚上再补充一些也无妨。至于维他命C口含锭或是维他命C软糖，效果就很有限了。

◎ 美白大补帖2：杏仁

杏仁和维他命C一样，必须每天喝。在牛奶或豆浆里泡入杏仁粉，天天喝美白效果也可以很快看出来。

◎ 美白大补帖3：珍珠粉

不知道是不是巧合，我觉得白的食物吃了容易变白，像杏仁、牛奶、豆浆、珍珠粉啦都是白色一族。在市面上有卖一包一包装的珍珠粉，每天早晚服用，也有不错美白效果。

珍珠粉还可以和面膜调在一起敷脸，调在护唇膏里头用来护唇，调在护手霜里用来护手。它在我的美白补帖排行里总是列前几名喔！

◎ 美白大补帖4：豆浆

吃素之后我发现，豆浆除了能美白外，还可以补充体力。如果你肉吃得比较少，或是早上起床后常常没精神，可以在起床后喝一杯打了一颗生鸡蛋的热豆浆，如果怕胖就不要加糖。最近我还听到传说，说豆浆加生鸡蛋有丰胸的神奇效果哩！

White

◎ 美白大补帖 5 ： 鲜奶

　　鲜奶也是我非常喜欢的饮品，我早上起床如果没喝豆浆，就一定会喝鲜奶。睡前喝热鲜奶能帮助睡眠，早上喝冰鲜奶可以解决宿便。而且你会很明显的感觉到，早上喝过鲜奶，一整天的体力会比较好。最重要的是，鲜奶是白的，我总觉得喝鲜奶也有辅助美白的效果呢！

　　但同样也是白色的优酪乳，我觉得它的美白效果就不强了，不过在优酪乳里加绿茶粉，能帮助排便。只是，优酪乳的热量其实满高的。

　　有一些美眉的困扰是局部皮肤比较黑，我最近在医学报导中看到，如果吃了医生开的调经片，或是长期吃避孕药，都会使你的额头、腋下和胯下这三个部位的皮肤暗沉。如果你必须吃避孕药或调经片，就必须在这三个部位加强美白咯！

牙齿要健康，也要美白

　　我曾经公开说过很多次，大王我全身上下最满意的地方就是牙齿，因为它既健康又整齐，加上我注重美白，让我几乎对它无所挑剔！

　　牙齿对于美容来说真的很重要，不晓得大家有没有发现，只要是被归类为美女的女生，不管她是东方人还是西方人，不管她是双眼皮还是单眼皮、黑皮肤还是白皮肤，她的牙齿一定很美。

　　所以不管你几岁，只要医生认为你还可以戴牙套，就一定要戴。戴牙套不舒服或不美观，就只是那几年，可是牙齿健康却是一辈子的。尤其牙齿的健康和你身体的健康是息息相关的。

　　牙齿的美容，整齐自然是第一考量，其次就是美白。我本身没矫正牙齿的必要，因为我的牙齿天生健康又整齐，不过我却很注意美白我的牙齿。我做过各式各样的牙齿美白，像是最新流行的冷光美白，但做冷光美白超痛，照的时候简直要酸到脑子里去了，回家后还要继续酸软个三天！虽然我超怕痛，但是冷光只要做一次就会有很明显的美白效果，如果你不是经常喝咖啡、抽烟的人，加上每

天都用美白牙膏确实地刷牙，做一次冷光可以维持好几年，但就是要强忍住痛啊！

更早之前我也试过镭射美白，虽然也痛，但是这种痛是比较能忍受的。做完镭射美白还必须搭配做一副透明齿模，医生会给你牙齿美白剂，要你挤在齿模里头，然后回家咬着它。早期挤在齿模里的美白牙齿剂，要一连使用七个晚上才能见效，可是最新的牙齿美白剂是一个月只需要用一个小时，就可以维持美白效果了。

但有的人不抽烟，也不喝咖啡和茶，牙齿维持得还不错，只是有点黄黑而已，这样的人可以不做冷光或是镭射美白，洗牙就够了。但如果你是天生牙齿黄，就要做一次大的美白，之后再去好好地保养维持。

大王我觉得美白牙齿只要做一次就够，接下来就是要乖乖地做辅助维持的工作，牙齿就可以一直维持得很白。像是刚刚提到的透明齿模加上美白牙齿剂，这东西可以用一辈子。

White

另外现在有一种美白牙齿笔，它的前端有刷头，睡觉前刷在每一颗牙齿上，隔天早上起床再刷洗掉，也有不错的美白效果。一般牙科都有卖这种美白笔，它和我刚刚说的美白牙齿剂都是 Brite Smile 这个牌子。

还有一种叫做百龄牌的洁克美白牙粉，这个产品一般超市就有卖，我每天用它来刷牙，牙齿也一天比一天白喔！

我每天至少花上十分钟刷牙。刷牙的方式很重要、选择牙刷也很重要，牙刷最好是锯齿状的，不要选平头状的，这样牙缝才会刷干净，因为牙缝最容易堆积牙秽和沉积色素了。正确的刷牙方式要从牙龈向上往牙齿刷，一次两颗两颗地刷。传统的横向刷法并不正确，既伤牙龈又刷不干净。

还有如果你是容易长痘子的肤质，千万不要用含氟的牙膏，要用盐性牙膏！氟和游泳池里添加的氯，都会使你的皮肤长青春痘，很多人都不知道这一点呢！

很多女艺人一笑起来，就看到她嘴里有黑色的补牙痕迹，我觉得非常不雅观。想当大美女，补牙的材料也要注重。现在新的技术是计算机镶瓷，将蛀牙部分挖掉，用计算机算出精细的补牙形状，由于材料是白色陶瓷，美观坚固，可以维持非常久。不像银粉，说不定在补完几年后吃东西时突然掉了！

另外，智齿是使用不到的牙齿，要尽量拔掉。智齿很容易变成蛀牙，黑掉了不但不好看，还会影响到其他牙齿，甚至影响到牙龈。有些人智齿不拔掉，把前排本来排列得美美的牙齿给挤乱了，咬合也因此变差，实在很可惜哟！

美·容·大·王
经验谈

各位大美女们，刷牙时，舌苔记得一定也要刷哦！我常看到很多女生拍大头贴时，吐舌头装可爱，但是舌头上却有一层厚厚白白的舌苔，真的很破坏画面。女生有舌苔，就是糗，用牙刷轻轻地从内向外就可以刷掉舌苔，爱美就是每个小细节都不能忽略掉！

White

掌握第一手讯息，
美容无罩门

　　想当个称职的美容大王，还得要有零时差掌握第一手美容讯息的好本领！

　　大多数人的美容资讯是看杂志、听朋友讲，或是直接看广告就去买新产品。但是，美容资讯与医学是有很大关系的。尤其现在是高科技时代，所有美容产品与技术都与最新发展出来的生化科技有关，所以报纸里所有的生活类版面，都是追求第一手美容资讯者必看的！

　　我尤其推荐大成报的生活版，它是我吸收美容医学资讯最好、最快、最正确的地方（不是在替它宣传，是因为我真的每日必看，而且收获多多）。像什么国际美容医学会议、什么美容展或最新的商品资讯呀，大成报都会登出来，一些有趣的流行美容新知大王我也都不会漏掉！看杂志当然也不错啊，不过杂志因为一个月出刊一次、或一周一次，资讯传达慢了点。

　　再说杂志文章的篇幅比较长，有时候笔调显得冗长，杂志美容编辑还常常会加入自己的观念，甚至顺道推荐一些美容保养品，常让我懒得全部看完，或是感觉它掺杂了太多不必要的内容。所以大王我觉得看报纸是获得美容医学资讯最快、也最丰富的地方啦！

　　除了我喜欢的大成报生活版，其他各大报也有生活版、消费版、医药版，我建议各位如果有时间的话，所的生活、家庭版面统统都要看，这些版面里除了美容资讯、妇女病、生小孩、忧郁症、心情调适的报导，有时也会请中医师说明保养观念与美容保健资讯喔！

　　但是时尚资讯就一定要看杂志，因为杂志会针对流行风潮做完整的解析，也会对品牌的背景做详细的介绍，当然是多多益善咯！

PART 5 FIVE

身上任何小地方
全都不放过！

狂爱逛日本药妆店

我这美容大王是挺喜欢药妆店的，药妆店有很多值得推荐与开发的商品，逛起来特别有趣。每次只要去日本，我一定会逛药妆店逛到脚软。像日本新宿地下街里有一个专卖排行榜前十名商品的药妆店，像是减肥食品排行榜前十名啦、美白产品排行榜前十名啦，只要我进去，就会把排行榜上的产品狂扫一空，然后回家慢慢地一瓶瓶试用咯！

我觉得日系的保养品比较适合亚洲人，不管是洗发精、脸部还是身体的保养品都一样。欧美系的我当然也会试用，有些产品也令大王我十分惊喜，像是之前曾介绍过的克兰诗翘臀霜，还有碧儿泉的消除橘皮组织系列产品，也满适合东方人。

我真的认为美容保养产品不见得贵的就是好，药妆店排行榜上的产品通常就不错用咯！台湾屈臣氏和康是美排行榜上的开架商品，就是又便宜又平民化啊！

有自己的style，
走自己的风格

　　这是一个很值得分享的观念，只有适合自己的style才是真美！

　　例如有些女生穿衣服有自己型，也许极简、也许另类，不见得华丽，就会让人印象深刻，这些人通常也懂得把自己保养得很好，从毛细孔、手指甲、头发干净与基本的保养都见得到她们的用心，我会对这样的女生刮目相看，相信她们以后不管做什么事情都容易成功。

　　学生也是一样。现在的学生普遍讲时髦，年轻人当然不太需要花那么多时间保养，但是她们追求时髦的时候，品味和独特的style就要摆第一。年轻人就算长青春痘也是青春无敌，本钱雄厚，这时候要比的就是服装品味。如果一个年轻人穿得年轻时髦又好看，我就会觉得这个年轻人的审美观不错，将来应该也会有不错的人生。可是有些年轻人只会一味盲从，不但穿着品味很糟，连指甲都是脏兮兮的，一些身体清洁的工作都不去重视，我就会觉得这种年轻人令人害怕！

　　大王我觉得只要有自己的风格，即使穿戴的不是名

牌，走路也可以很有风喔！

至于男生要不要美容？我觉得这是看职业需要。

最近看到报纸报导说，男生整形的比例大大提高了呢！而会去整形的男生，多数都是为了工作的需要。第一类男生的工作主要是业务员或是主管，需要融洽的人际关系与外表印象，这一类的男生比较常要求的是除皱纹。第二类则是有意要进军演艺圈的男生，或是已经在艺能界发展中的男艺人，他们通常会去做牙齿和双眼皮的整形。

爱美绝对无罪，管他女人男人，只要是美，就值得去努力追求！

我自己就觉得男生的皮肤保养很重要。不管你做什么行业或年纪多大，清洁永远摆第一。男生也许不需要做太多的保养，但是一个礼拜一定至少要做一次去角质，让自己看起来有好气色喔！

美·容·大·王
经验谈

我偶尔会去参加一些时尚PARTY，看到有些社交名媛穿着很昂贵的衣服，化很浓的妆，但是她们身上的肉看起来都松松垮垮的，脸上角质层又很厚，就算穿着再名贵的衣服，也大大的减分！只注重外表穿着的华丽与名牌的高价格，却不注重最基本的保养之道，这种女生我满不欣赏！

呵护宝贝睫毛的不败妙招

　　没有女艺人不注重睫毛的，因为眼睛会不会放电，关键全在它！

　　当本大王化妆时，最重视的也就是画睫毛。也由于我时常在宝贝的睫毛上画睫毛膏，对睫毛的保养也特别注重！到这里本大王要强调一个美容保养的基本观念，就是你对身体的任何地方做了两分的伤害，就要花三分力量加倍去保养，这是我坚守的保养原则喔！

美容大王教战守则——
呵护睫毛不败 4 妙招

◎ 不败妙招 1： 要轻柔地卸

　　有些眼部卸妆品要倒在化妆棉后再压在眼睛上抹掉，现在还出了一种标榜能轻松卸掉眼妆的卸妆棉，广告里模特儿

将卸妆棉按在眼睛上再拉开妆就掉了，可是这种方式会让睫毛掉得很凶，也卸得不够干净。

　　我最喜欢的卸妆品还是植村秀的卸妆油，脸上不管什么部位的妆，它真的都能卸得掉喔！卸眼妆时卸妆油要多挤一点，眼睛闭上，用手指盖在睫毛上再轻轻地往下推。一定要很轻很轻很轻，也许要花久一点的时间才卸得下来，也总比睫毛被拉光划算咯！

◎不败妙招 2：每个细部都要彻底清洁

　　如果睫毛上还有些结块，就在食指与大拇指上多挤些卸妆油，轻轻地搓掉这些顽固分子。

◎不败妙招 3：至少卸两次

　　差不多卸干净了，可能眼睛旁边也出现一圈黑，这时用水就冲洗得掉了。卸妆一定要做两次，不管是身体、脸部还是眼睛都一样，洗脸也要洗两次才行。

◎不败妙招 4：定期保养滋长

　　市面上贩售很多种睫毛增进液、保养液。其中有些产品是胶状的，但这种胶状保养液会凝结或是黏住你的睫毛，当你睡觉时，睫毛一划过枕头，可能会使睫毛被勾掉。所以我推荐Talika睫毛增进液，它也可以拿来刷眉毛，相当好用。

　　如果你这阵子睫毛掉得凶，或是你希望睫毛快快生长，可以早晚都刷。它主要的功能在于增长，也许你发现用了它之后会多生出一点点睫毛，但是睫毛的数量是不会从很少变成很多的！

当电眼美人必学的
刷睫毛诀窍

　　我花了很多时间去摸索适合自己的妆！

　　大王我刚出道时流行的是强调眼影及眉型的妆。当年的艺人很多都将眉尾甚至整个眉毛都剃掉，再画成俗称巨星眉的山形细眉。眼影部分则是眉骨一定画白，然后眼窝画出凹陷效果，搭配上大红或深咖啡色的口红，还要描唇边，睫毛与眼线倒是其次了。

　　那时的我也画这种妆，但觉得一点都不像自己，很丑！眼睛看起来好肿！！于是我开始尝试各种眼睛的画法，也尝试画腮红，在一次次不满意中，我逐渐发现自然妆最好看，淡淡的妆最适合我了！

　　后来，韩国艺人在台湾逐渐受欢迎，我开始研究为什么韩国女生的脸看起来自然又精致？我将她们的照片仔细地研究一遍，发现韩国女生很喜欢用眼线液和假睫毛，她们的脸部或许没有什么色彩，可是眼线一定用眼线液画得很黑很细，再贴上假睫毛。但是眼线液的使用难度实在太高了，就算每天画也可能一个礼拜里只有两天是成功的，其他不是画得抖抖的就是画太粗，所以我只好放弃眼线液咯！至于韩国女生爱用的假睫毛，我也并不爱用，因为当你撕掉它时，自己的睫毛一定也容易跟着掉呢！

最后大王我发现，将睫毛膏画得厚厚的，眼线画得细细的，眼睛看起来也会很明亮，不需要用到什么色彩，眼睛就会看起来很深邃哟！

美容大王教战守则——
魅力电眼4诀窍

◎ 电眼诀窍1：只用黑色睫毛膏

我最喜欢的睫毛膏品牌是Maybelline以及Lancome，我只用最黑色的睫毛膏，多数的品牌最黑的睫毛膏是Dark Black，最深的黑色。我们东方人的眼珠是黑色的，所以用黑色的最好看，眼睛看起来也会更明亮。如果你像西方人一样，眼珠子是蓝色、绿色或褐色的，才适合用其他颜色的睫毛膏喔！

◎ 电眼诀窍2：刷得又翘又浓

本大王很喜欢将睫毛膏画得很浓很夸张，或将睫毛膏弄得一颗一颗地黏在眼睫毛上，反正睫毛膏画浓一点效果真的挺好的。但请你一定要记得，正确步骤是先刷上一层睫毛膏，然后用专门梳睫毛的小梳子把睫毛轻轻地梳开，之后再刷一层。可以用两种不同的品牌交替刷上四五层，睫毛就会看起来非常浓!

◎ 电眼诀窍 3 : 怕流汗或脱妆就用防水睫毛膏

如果你会大哭、淋雨或是需要晒太阳流很多汗的话，那建议你用防水睫毛膏，但是防水睫毛膏真的很难卸。尽管很麻烦，你还是一定要耐心细心地去卸它。

◎ 电眼诀窍 4 : 种睫毛要很小心

我也曾试过种睫毛，它是用一种可以固定比较长时间的胶，将一撮一撮的假睫毛黏在睫毛根部，用持久型睫毛胶黏的那一撮可以维持约一个月，一般的大概一礼拜就会掉了。很多女艺人或特殊行业需要常化妆的女生，会尝试自己种睫毛，但副作用满严重的，就是当假睫毛掉的时候，自己真的睫毛也会跟着一起掉!

如果你打算亲手种睫毛的话，持久性的睫毛胶，在 make up forever 就有卖。但是它的难度很高，因为很刺激又熏眼睛，会让你大量掉眼泪，所以一黏上去要立刻用小吹风机或扇子赶快吹干。如果你种睫毛的技术不好，胶用得过多，它会结成一个个小颗粒凝结在睫毛根部，只要一眨眼睛你就会觉得很难受喔!

眉型自然就是美

　　大王我觉得天然的眉形最好看！算命师为什么喜欢看眉毛，那是因为每个人的眉毛都有他天生的个性，不过，要当个真正的大美女，眼皮上的杂毛一定要统统拔掉喔！但眉峰部位的杂毛，除非你的技术真的非常非常好，或是你真的非常非常不喜欢自己的眉型，或是你已经找到一个技术非常好的人他可以帮你修眉，否则我觉得除了眼皮上的杂毛，其他部分还是别拔才好。

　　这点我可能是受了林青霞的影响吧，仔细看林青霞的眉毛，她是连杂毛都不拔的人，但整个脸就非常的自然好看！更何况，现在已经开始流行自然眉了，所以大王我觉得除非你的眉型是炸开型的，或是眉毛过长像郝柏村那一型的，才需要修剪！

　　但如果你平常热爱搞怪，爱做庞克之类的造型，那么要怎么对待你的眉毛，就随你高兴，本大王不便干预咯！

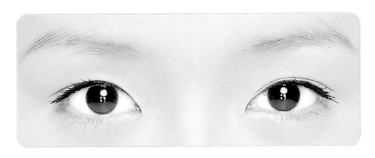

美容大王教战守则——
美化眉毛3大招

◎ 招数1：滋养眉毛

通常睫毛增进液擦在眉毛上也会有效果，如果你失手把眉尾剃掉又长不太出来，不妨试试睫毛增进液吧，用我前面推荐过的Talika就行了！

◎ 招数2：染眉毛

大王我觉得画眉是件非常困难的事，我现在只用那种类似睫毛膏的眉毛染料刷来刷眉毛，用一般的咖啡色就可以，因为东方人的眉毛本来就够黑了，再用黑色染料颜色会不自然。

眉毛染料刷的包装看起来就像睫毛膏，打开之后也有像睫毛膏一样的刷子，只是染液比较不浓稠而已。我都在日本的药妆店买这类的产品，每天只要轻轻地刷，眉毛就变得更有魅力呢！

◎ 招数 3：
依个人需要修出好看眉型

绝不要用黑色的眉笔画眉毛！如果你天生就眉毛少，或是你必须要画你喜欢的眉型，现在有画眉粉，不一定要用到眉笔。画眉粉是用小刷沾点粉，然后在眉毛上刷开来，效果非常自然！

不过，有一种女生不适合自然眉，那就是喜欢把皮肤晒成古铜色的女生，这种女生比较适合个性派的眉毛。还有，留刘海的女生也要注意，除非你的刘海长到能盖住眉毛，否则还是建议你把眉毛修得稍细一点，因为粗眉再加上刘海，会让人觉得你的上半脸太沉重了！

另一种一定要修眉毛的人是一字眉，如果你的眉心长毛，一定要修掉，有一字眉的女生，看起来男子气太重了，实在很吓人！

Perfect

拔眉修眉超简单

很多美女一听到要拔眉毛就吓得花容失色，别怕，拔眉毛只是小CASE，多拔几次就能熟能生巧咯！

拔眉前第一步，就是要选好的拔眉夹，像本大王我最爱用在屈臣氏和微风广场都买得到的品牌 tweezerman。它的尾端很利，可以拔出非常细小的毛，连汗毛都拔得起来，我和小S连腋毛、胡子都用它来拔！

有了好的工具，就大胆地拔吧！先紧紧夹住眉毛的根部，慢一点没关系，不用急，要确定夹子夹好了，再一口气给它拔掉！手法就像妈妈在厨房里拔猪毛（这样讲好像不太美观）！

关于痛，我只能说，爱漂亮一定要做某种程度的必要牺牲，但是，只要你的动作熟练了，拔眉毛不会造成流血，也不会导致发炎，大概拔过三次，你就会完全不觉得痛了哟！

像小S喜欢用剃刀剃眉毛，因为她觉得这样子眉型比较整齐，她喜欢眉毛很有形，边边都修得整整齐齐的。可是这样修眉，后来长出来的毛的根部就会变粗，毛细孔看起来会有一点一点黑黑的，难拔又剃不掉！所以我强烈建议杂毛要用拔的，不但不容易再长出来，失败率也比较低！

创造自然双眼皮的方法

很多艺人小时候是内双，长大之后却变成了很多层的双眼皮，秘诀就在于美眼贴。可别小看它哦，有了它双眼就会变大又有神，放起电来也比较方便！

市面上最新款的美眼贴，是像贴纸一样排列着，已经剪好了形状，只要直接撕下来贴在眼皮上就好了，虽然方便，不过我觉得那种美眼贴其实比较不符合东方人的眼皮，因为它的弯度太过弯，前后端也都只是剪成圆形的，没剪出尖形，这样无法戳进眼皮前端的皱折中，也比较不容易造成双眼皮的自然迷人效果。

对于美眼贴，我最推荐的是娇生（强生）的双眼皮胶布，这种我觉得贴起来很自然，效果也不错，它的厚度也刚刚好，不容易造成破皮和过敏。之前在一般传统的美容材料行都买得到它，但现在娇生公司已经没引进这项产品了，也许上购物网站，还能搜寻得到它喔。

如果你买的是那种要自己剪的美眼贴，建议你去买一种美容用的剪刀，这种剪刀的刀口本身就有一个弯度，只要一刀剪下去，就是合适的弯度了，不需要特别调整，很方便吧！

介绍完怎么样的美眼贴才好用之后，接下来本大王要教你贴美眼贴的正确方法咯！将美眼贴尖尖的部分，对准眼头的皱折线再贴上去，也就是说，美眼贴弯度的部分会超过你原本的双眼皮，当你张开双眼后，你的眼皮会顺着美眼贴形成一个相当自然的双眼皮，如果长期贴的话，听说有的人也因此变成永久性的双眼皮呢！像小 S 就是从国中时开始长期贴，贴了个几年，眼皮竟然从两层变成三层！

不过本大王在这里要提醒大家，美眼贴若是每天贴，还是很容易造成一些伤害，因为它有黏度，撕下来时对眼皮多多少少会有点影响的。

耳朵也要美丽大作战

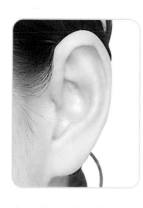

有没有听错，耳朵也要美容兼保养？没错！观察女人要从细微处看起，本大王就很爱看别人的耳朵干不干净，美不美，符合标准的我才会称她为美女。

当我写这本书时，小 S 竟然告诉我，她一直都不知道耳朵原来应该用棉花棒清理！有人用卫生纸，有人就是擦脸的时候用毛巾抠耳朵，但是这样抠也抠不到深层的地方，所以一定要用棉花棒才能彻底清洁啦！

市面上有卖一种前端是小勾子的挖耳朵棒，其实现在有一种日本进口的螺旋状挖耳棒，伸进去旋转一下，就可以把耳屎轻松拉出来，这种挖耳棒在台隆手创馆Tokyo Hands 就买得到了。

除了把耳屎清干净，耳朵本身的清洁也有需要特别注意的地方。通常在化妆时粉底会延伸到小耳朵边上，所以注意，卸妆时也要把耳朵边上的妆卸得干干净净才行。另外，耳垂的背后很容易沾上卸妆油，所以当你在洗脸冲水时，这个地方也记得要冲洗到。至于本大王最注重的防晒，耳朵当然也不能放过咯，脸上的防晒品搽完，耳朵也要接着搽，当然晚上的清洁工作也不能忽略，只要注意这两项，耳朵就不太会长粉刺、青春痘之类的，也不需要太多的保养工作了。

　　大部分女生都有穿耳洞，除了清洗与保养外，也要注意耳环的戴法。很多人戴耳环容易发炎，所以最好家里准备着药用酒精棉，在戴耳环之前，耳针先用药用酒精棉消毒，消毒后耳针沾一点面速力达姆（它还有个名字叫曼秀雷敦，你要叫它小护士也OK），再穿戴上耳朵，这样就不容易使你发炎！

美·容·大·王
经验谈

当你手破皮或是身上出现一些小伤口，二话不说，从包包里拿出面速力达姆涂了再说。面速力达姆是每个女生必备的保养品，它既是保养品又是药品，身上什么地方都可以搽，让人很安心。我和小S也喜欢拿它来搽嘴唇，觉得凉凉的又很滋润，对嘴唇有不错的修护效果呢！

好好宝贝你的指甲

　　大王我曾经遇过一个皮肤科医生，只要见到人留着长指甲就骂人，可见留指甲一定是件不健康的事。

　　想想看，女生睡觉的时候，常会因为头发盖到脸上，或是因为蚊子飞来或脸上哪里痒而伸手去抓，就算没抓伤脸，指甲里面的细菌也会跑到脸上，使你长出痘痘。如果你本身已经是痘痘脸就更惨了，指甲里藏的污垢会让你的皮肤更恶化。所以为了皮肤好，指甲不要留才对喔！

　　我自己在睡觉时会不自觉地抓脖子，脖子常被抓伤，所以一直都留短指甲。

　　那么指甲要如何修剪、如何保养才健康呢？我这美容大王也有一大堆经验可以跟大家分享！

美容大王教战守则——
护甲 7 好招

◎ **护甲好招 1：搽指甲油前先上底液**

　　搽指甲油前一定要先搽一层底液，不管是增厚液或是硬甲油都可以。搽了这一层，指甲油会变得比较好卸，卸了以

122

后指甲也不容易发黄或断裂。

◎ 护甲好招 2 ：修厚皮

指甲旁边的厚皮，可以先泡温水或用温水洗过手后，再用指甲硬皮锉刀搓掉，这种指甲厚皮锉刀不像指甲锉刀那么粗，是专门用来对付厚皮的。千万不要用剪刀剪厚皮，不仅容易剪到肉，也容易使长出来的新皮凹凸不平。不管是手还是脚的指甲，都要这样处理喔！

◎ 护甲好招 3 ：爱用护手霜

我推荐露得清护手霜，这个护手霜是可以连指甲都一起保养的，它会让你的皮肤与指甲都一起变健康。护手霜不是搽上皮肤表面就算 OK，而是要一根根指头仔细地按摩，连指甲附近的硬皮和指甲表面也要这么做。

◎ 护甲好招 4 ：搽增厚液加强保养

指甲要是有断裂或是开花的问题，搽指甲增厚液能有效改善，L'OREAL 有出这款产品。

◎ 护甲好招 5 ：修剪得宜

剪指甲别太用力，更不要剪到肉里，长度和指尖平行就好，稍微留下一条细白的指甲最好看。用专用指甲剪刀剪出大概的形状后，通常会产生一些不规则的小凸角，这时再用指缘硬皮锉刀将它锉成整齐的形状。至于是方形还是椭圆形，看你自己喜欢咯！

◎护甲好招 6：让指甲休息

我曾看过李奥纳多的专访，他说他最不喜欢指甲油剥落的女生。一般的指甲油擦上三天就会有些轻微剥落，这时最好就把它卸掉，顺便让指甲呼吸一下新鲜空气吧！

如果你觉得让指甲休息时，空在那里很丑的话，可以擦些指甲增厚液或是指甲保养液在上头，它有透明亮面指甲油的效果，又兼具保养的作用。

◎护甲好招 7：做水晶指甲前要三思

我这美容大王也曾做过水晶指甲，不过要先忠告大家的是，那是一条不归路！！水晶指甲是用水晶粉加上化学液体覆盖在指甲上，形成固态后，再把多出来的指甲修掉，相当耗时。水晶指甲看起来亮亮硬硬的，还可以磨成自己喜欢的各种形状，它很坚固，上各种颜色效果看起来都相当漂亮。很多指甲比较小片的女生擦指甲油不好看，或是做指甲彩绘也无法满足自己，就会选择水晶指甲，艺人当中就有挺多人喜欢做水晶指甲的。

Perfect

不过只要做了水晶指甲，每个礼拜都必须回店里去补后面长出来的指甲，如果有天你卸掉了水晶指甲，你会发现自己的指甲变得又薄又软又容易断裂，这是因为指甲长期不使用，用水晶指甲替代自己的指甲，指甲就逐渐退化了。我就曾发生过这样的问题，做了水晶指甲两个月后去卸掉，但水晶指甲非常难拆，必须要用酒精包住，等软掉再抠掉，抠不掉的还必须用磨刀来磨……这一趟折腾下来，我的指甲花了近半年才恢复正常，很受伤！

美 · 容 · 大 · 王
经验谈

推荐一个指甲保养系列品牌给你，她叫Sally Hansen，在一般药妆店例如康是美、屈臣氏里买得到，它针对太软的指甲、脆弱的指甲、发黄的指甲……等等不同问题的指甲都设计了不同的产品，我自己就忠实爱用！

美美手脚美女必备

　　本大王觉得全身上下，手脚清洁的重要性绝对能排进前三名，不过很多女生都忽略了这一点，还抱着反正最重要的是脸和身材，手脚保养放到最后有空才去做，有的女生更认为反正脚根本也看不太到，不用太费神去管它吧！

　　如果我正好说中你的心声，就算你的脸蛋再美，也不够格称作是美女啦。所谓的美女，是要连最细微的地方都很美，而且很讲究保养才对啊！

美容大王教战守则——
手脚保养心得

◎心得1：用洗手乳洗手

　　手常会接触到脸部，而且日常生活里我们的手常会接触到许多细菌，所以用杀菌洗手乳才能完全清洁。

◎心得2：用护手霜保养

　　再次推荐露得清护手霜！这款护手霜质地比较浓稠，擦完后要过一阵子皮肤才会吸收，建议你最好是洗完澡后，身体其他的保养都做完了，接着先做脚的保养再轮到手。除了手，脚也可以擦露得清护手霜。

我另外再推荐一款Jurlique Lavender护手霜。这个香港贵妇人爱用的牌子在台北买得到，飞机购物上也有。你可以在洗完手、或是觉得手干时频繁使用它，它一下子就能被皮肤吸收，没有到处沾染的问题。

另外有些护手产品是油质类，那种油质的护手油容易愈搽手愈干，买之前还是考虑一下吧！

◎ **心得3：**

套手套脚加强效果

用露得清护手霜按摩完整双手后，立刻戴上棉手套，就是宪兵或交通警察戴的那一种白手套啦，一般五金行就有在卖。戴上手套睡一觉，隔天起床你会发现手嫩得跟婴儿一样喔！

Perfect

保养脚也是一样的方法。用露得清护手霜将两只脚的每寸皮肤都仔细按摩完之后，立刻穿上棉袜，用一般的普通棉袜就可以，但要是干净的。穿棉袜可以帮助吸收，穿一个晚上或只穿一两个小时都行！

◎ 心得 4 ：磨掉厚脚皮

如果你是常穿高跟鞋或是常走路的女生，脚跟会变粗，还会有白白皮屑，脚掌前端、大拇趾和小趾的两侧也很容易长出茧来。这时就要用专门磨脚皮的磨砂板来处理了。脚泡了温水之后再使用磨砂板，比较容易磨掉硬皮哟！

有一种磨砂板真正是磨石作的，看起来就像一块把水抽干的石头，这种的效果反而不是太好，因为它可能会磨破你的脚，或是因为形状的关系，脚板中间凹下去那块磨不平均。最好挑选一种长椭圆形、扁扁的、头尾是尖椭圆形的磨砂板，我觉得这种最好用，很多品牌都有出。最糟糕的是那种金属、刨刀式的磨砂板，它非常容易磨破脚。有硬皮就要赶快磨掉，如果已经严重到变成鸡眼的程度，就要去找医生！

◎ 心得5：别忘了保养手肘和膝盖

手肘与膝盖容易变粗黑，这两个地方在身体去角质的时候可以加强，也同样也可以用露得清护手霜来保养。

美 · 容 · 大 · 王
经验谈

穿鞋子若不小心把脚磨破皮，又不想留下疤，大王我建议大家用宁疤宁除疤乳膏，或是跟皮肤科医生买类固醇软膏来搽。类固醇当然有很多副作用，但是它有相当好的除疤效果，容易帮助伤口和痘疤淡化黑色素。你当然不能大量使用它啰，每天在疤痕上涂一点点就好了。

不想出糗，
就把腋毛清干净咯

　　美女如果举起手来让人看到没刮干净的腋毛，那说有多糗就有多糗！茱丽亚萝勃兹就曾经这样出糗过，变成国际大笑话。

　　拔腋毛因为会很痛，很多美女都对它敬而远之，但若要追求完美，这种痛是必须忍耐的！不过，腋毛的敏感度不像胡子那么厉害，其实拔个一两次之后，就会感觉比较不痛了！

　　腋毛的处理，我建议大家用拔眉夹来拔，不过如果你是那种腋毛很多、或是从来没拔过腋毛的女生，还是最好分成两三次来拔。拔毛的技巧和我前面教的拔眉技巧一样，先紧紧夹在毛最根部的地方，不要夹到肉，也不要从毛的尖端拔，否则很容易失败。拔完后可以擦上一些面速力达姆，防止红肿的产生。不过大王在这里要提醒大家，如果你本来就是腋下毛细孔凸出的人，那就不要拔了，因为这样拔很容易使你发炎哦，试试镭射除毛吧！

　　另外坊间也卖很多撕剥式除毛剂或是除毛剂乳膏，我没有特别推荐的品牌，因为用这些产品除毛有缺点——它很容易再长出来，长出来的又是小短毛，这种短毛撕掉也不行、拔掉又很难拔、刮掉也难，可以说是后患无穷。用拔毛方式长出来的腋毛，和拔眉毛的道理相同，后续长出来的毛比较容易处理。

可能也有很多怕痛的女生是用刮的方法除掉腋毛，大王我则是觉得太麻烦，刮了之后很容易长出来，又容易在刮的时候受伤，而且刚长出来的短腋毛刮不掉，要等它长到某个长度才能刮，真的是太麻烦了！

美 · 容 · 大 · 王
经验谈

拔腋毛是辛苦的工程，因为要一直低着头看着腋下，拔久了手酸脖子酸。所以我建议大家找面镜子或是运用衣橱上的镜子当作辅助，要拔毛的那一只手撑压着镜子，眼睛看着镜子里的腋下，另外一只手就能轻松拔毛啰！

【结语】
美容大王总整理

艺人是公众人物，很多事要比一般人更注意。像穿衣打扮、私生活啦，我倒不怕狗仔队或别人的评头论足，反而是对工作负责这件事，我最在意。所以我一定要保养爱美，因为那也是我工作的一部分呀！

我认为男女艺人注重保养是应有的职业道德，艺人卖的就是自己，这当然包括内在的充实与才艺，可是光鲜亮丽的外表是我们的最大本钱。维持我的品质，是我对自己的基本要求！

我承认自己是有点变态，尤其是在美容方面的追求，很变态，不过收获很多，也因为这样，我才能当上现今的"美容大王"啊！

前面五个单元里，我已经巨细无遗地把本大王的保养秘诀公诸于世，最后，我要公开我平时的保养时程，也算是总整理这本书的内容咯！

◎ **必做保养1：**

敷脸＆擦身体乳液（每天）　　**费时40分钟**

我是每天都一定要敷脸的，洗完澡也一定马上擦身体乳液，这是最基本的功夫。可别小看这些小小的动作哟，光是做这两种保养，每天差不多就要花掉我４０分钟时间。

如果晚上懒得敷脸，我就早上起床敷，如果白天工作忙，我就晚上回家敷。如果不用拍戏在家闲闲，我很可能早晚都敷不同的面膜！

我的皮肤比较薄、比较干、又容易晒黑，所以让皮肤变健康的面膜我很重视，另外美白、保湿的敷脸工作也很重要。至于清洁面膜我则是久久用一次就够，因为我的皮肤既薄又敏感，不需要太常使用清洁面膜。

◎ 必做保养２：
手足护理（两三天一次） 费时60分钟以上
一个礼拜有固定几天，我会在双手双脚擦上乳液，再戴上手套和袜子加强滋润效果。

◎ 必做保养３：
去角质（两周一次） 费时10分钟
虽然我的皮肤薄，但是偏偏我又觉得去角质一定要用磨砂膏才会有那种爽快的感觉，才会觉得脸都被清得很干净，所以我只好两周做一次去角质。

◎ 必做保养４：
洗头（视情况） 费时30分钟

我的头皮不是很油的，要是每天洗很容易掉头发，而且我也觉得每天洗头其实并不必要。我非常注重头发的保养，因此，如果当天需要洗头，我就不护手脚了。我的保养工作需要每天穿插安排，这样才能达到效率与最佳效果！

雪后有晴天"灵异女王"深雪双重旋艳登场

《当魔鬼谈恋爱》了不起的恋爱，让魔鬼也憔悴
《美女的交换礼物》了不起的礼物，刹那之间令你化身美女

来，我们交换礼物。
最后我们都是美人。

《美女的交换礼物》
定价：18.00

并非天生就是美女，可是，你仍然有机
会！气质、透彻、悲慈、努力、温柔，
样样是美。通过交换美女们的传神心得，
让不是美女而想成为美女的每个女子梦想
成真！

世界末日，展开爱的对决！
耶稣说：我爱你们。
然而魔鬼说：我爱你。

《当魔鬼谈恋爱》
定价：19.80

英俊的魔鬼用一套Gucci泳衣骗取天使为
他回到两千年前的耶路撒冷，目的是引诱
他的宿敌耶稣。天使果然不负期望，成
功接近耶稣，魔鬼却突然发现，天使越
顺利地执行命令他就越痛苦。不可一世的
魔鬼为爱崩溃了。

令刘德华迷恋小说的美女作家

深雪 2005 爱情风暴，
癫狂而绝艳！

《第 8 号当铺》
定价：18.00

爱情魔幻经典，深雪成名之作。讲述一间与众不同的当铺中发生的故事。

《我们都是粉红色的女巫》
定价：16.00

深雪至今唯一一本短篇集。妖艳之作。

《玫瑰奴隶王》
定价：18.00

《第8号当铺》姊妹篇，魔幻爱情的高贵写真，有若旗袍般的纤细迷人。

《另一半的翅膀》
定价：18.00

天使的羽翼煽动悲美的纯爱，赚尽热泪！备受读者追捧隆重封面改版，更添天使美艳。

《我的私密CATALOG》
定价：16.00

"没有蠢蛋般的失恋，便无办法有成功的第二次、第三次恋爱。"秘密的失恋档案让未来爱力更强大。

《爱经述异》
定价：19.80

继《第8号当铺》之后，深雪魔幻爱情小说更创高峰之作！

《乳尖上的爱情脑》
定价：18.00

完整收纳深雪的暧昧心思，是至今最完整的深雪版爱恋哲学诠释。